Y0-BDV-365

RHEINISCH WESTFÄLISCHE
AKADEMIE DER
WISSENSCHAFTEN

ABHANDLUNGEN
DER RHEINISCH-WESTFÄLISCHEN AKADEMIE DER WISSENSCHAFTEN

Sonderreihe
PAPYROLOGICA COLONIENSIA
Herausgegeben von der
Rheinisch-Westfälischen Akademie der Wissenschaften
in Verbindung mit der Universität zu Köln
Vol. XIX

PAPYROLOGICA COLONIENSIA · VOL. XIX

TWO GREEK MAGICAL PAPYRI IN THE NATIONAL MUSEUM OF ANTIQUITIES IN LEIDEN

A PHOTOGRAPHIC EDITION OF J 384 AND J 395

(=PGM XII AND XIII)

edited by

Robert W. Daniel

WESTDEUTSCHER VERLAG

In Zusammenarbeit mit der Arbeitsstelle für Papyrusforschung im Institut für Altertumskunde
der Universität zu Köln
Leiter: Professor Dr. Reinhold Merkelbach

Das Manuskript
wurde von der Klasse für Geisteswissenschaften
am 18. April 1990
in die Sonderreihe der Abhandlungen aufgenommen.

CIP-Titelaufnahme der Deutschen Bibliothek

Two Greek magical papyri in the National Museum of Antiquities in Leiden. - A photogr. ed. of J 384 and J 395 (= PGM XII and XIII) / ed. by Robert W. Daniel. [In Zusammenarbeit mit der Arbeitsstelle für Papyrusforschung im Institut für Altertumskunde der Universität zu Köln]. - Opladen : Westdt. Verl., 1991
(Abhandlungen der Rheinisch-Westfälischen Akademie der Wissenschaften : Sonderreihe Papyrologica Coloniensia ; Vol. 19)
ISBN 3-531-09929-9
NE: Daniel, Robert W. [Hrsg.]; Rheinisch-Westfälische Akademie der Wissenschaften (Düsseldorf): Abhandlungen der Rheinisch-Westfälischen Akademie der Wissenschaften / Sonderreihe Papyrologica Coloniensia

Der Westdeutsche Verlag ist ein Unternehmen der Verlagsgruppe Bertelsmann International

Druck und buchbinderische Verarbeitung: Boss-Druck, Kleve
Printed in Germany

ISSN 0078-9410
ISBN 3-531-09929-9

CONTENTS

PREFACE

I would like to extend my thanks to Dr. M.J. Raven, the curator of the Egyptian Department of the Rijksmuseum van Oudheden in Leiden, who granted permission to publish the photographs of J 384 and 395 and allowed me to inspect the originals, as well as to the museum's photographers, M.J. Bomhof and A. De Kemp, for providing the prints. My gratitude also goes to the Deutsche Forschungsgemeinschaft for supporting this project, and to the Rheinisch-Westfälische Akademie der Wissenschaften for including this volume in the present series and for a subsidy towards the cost of its publication. Finally I would like to thank R. Merkelbach for his help in connection with this project.

Robert W. Daniel

INTRODUCTION

The papyri J 384 (previously V) and J 395 (previously W) of the National Museum of Antiquities in Leiden are now usually consulted in K. Preisendanz' standard edition, *Papyri Graecae Magicae* (Stuttgart 1974[2]), and referred to as PGM XII and XIII respectively. These two large papyri are among the most important magical texts that have survived from late antiquity — especially J 395 with its famous 'Leiden Cosmogony'. The papyri were first published more than a hundred years ago by C. Leemans, thereafter by A. Dieterich, and then by K. Preisendanz (see pp. xii-xiii for editions and abbreviations). Our understanding of these texts has progressed by stages over the last hundred years due to the efforts of these and other scholars, but numerous difficulties in both texts still await solution. It is primarily towards this end that the present photographic edition with diplomatic transcriptions is offered to the scholarly public.

It is also hoped that this edition may be used in university classrooms for exercise in palaeography and textual criticism. Because of its marginal notations and occasional false insertions of such material into the text, J 395 (PGM XIII) has already been the object of text-critical scrutiny. It was discussed at length by A. Brinkmann in "Ein Schreibgebrauch und seine Bedeutung für die Textkritik," *Rheinisches Museum* 57 (1902) 481-97, where he recommended various ways to diagnose and heal passages that were corrupted by uncomprehending copyists who had falsely inserted marginalia into the text. Because of this article scholars have occasionally spoken of emending texts by the application of 'Brinkmann's rule', although it is probably better said that his recommendations amount not so much to a fixed rule, but to a methodology that can be applied flexibly. Because of the importance of his article, which deals largely with J 395 (PGM XIII), it is reprinted here in an appendix.

The transcriptions were prepared largely on the basis of photographs, and where the photographs left room for doubt, I checked the readings against the originals in Leiden. In the course of preparing the transcriptions, a number of suggestions occurred to me towards the improvement of the texts as edited in PGM XII and XIII. These are presented below on pp. xiv-xxvii. Most of them merely correct typographic or mechanical mistakes, but new readings and interpretations are offered as well. These suggestions are by no means a comprehensive treatment of the many difficulties that still beset the text, and I have generally refrained from evaluating the merits of other scholars' conjectures.

Description of the Papyri

J 384 (= PGM XII)

J 384 is a roll that is now divided and glassed in six sections. The height of the roll is 22-23 cm; its length when intact was 360 cm. Both sides of the roll are often in a poor state of preservation; there has been considerable abrasion, especially damaging to Col. 1

of the Greek text; and both sides of the roll were lacquered with a 'protective covering' that has darkened and wrinkled, which makes for difficult reading in a number of places.

The recto of the roll contains an important demotic text first edited by W. Spiegelberg, *Der ägyptische Mythos vom Sonnenauge* (Straßburg 1917). This text is now best consulted in Fr. de Cenival, *Le mythe de l'oeil du soleil. Translittération et traduction avec commentaire philologique* (Demotische Studien 9, Sommerhausen 1988), which is accompanied by a complete set of excellent photographs of the entire recto.

The Greek text of J 384 that is dealt with here is inscribed on the verso against the fibers in thirteen columns. The Greek text is flanked by demotic — two columns on the left[1] and four on the right.[2] This demotic text consists of magical spells that have been edited with photographs by Janet H. Johnson, "The Demotic Magical Spells of Leiden I 384," *Oudheidkundige Mededelingen uit het Rijksmuseum van Oudheden te Leiden* 56 (1975) 29-64 with plates VIII-XII. Demotic columns 15, 16 and 17 contain Greek sections of which transcriptions are provided here, but not photographs, as these can be consulted in Johnson's edition. What were transcribed as magical words in PGM XII 445-52 (Col. 14) have been shown to be Old Coptic glosses to the demotic text,[3] and hence nothing is transcribed of Col. 14 in the present edition.

Most of the Greek columns have widths varying between 18 and 20 cm; exceptions are columns 10 (16 cm broad) and 13 (11 cm broad). Intercolumnia vary between 0.5 and 4 cm, but as a rule they are about 2 cm. The Greek hand can be dated to ca. 300-350 AD.

The photographs of J 384 that are reproduced here have been reduced by some 15%.

J 395 (= PGM XIII)

J 395 is a papyrus codex consisting of a single quire[4] that was constructed out of 8 sheets = 16 leaves = 32 pages. The first leaf is missing, and so the pages that are now numbered 1, 2, 3 etc. were originally 3, 4, 5 etc. Page size (H × W) is 26.5 × 15-15.5 cm. Before the 8 sheets were folded, all rectos faced upwards with the fibers running horizontally. The surviving folded pages show the following arrangement of recto and verso:

↓	→	↓	→	↓	→	↓	→	↓	→	↓	→	↓	→	→	↓	→	↓	→	↓	→	↓	→	↓	→	↓	→	↓	→	↓
1	2	3	4	5	6	7	8	9	10	11	12	13	14	15	16	17	18	19	20	21	22	23	24	25	26	27	28	29	30

The sequence ↓ → → ↓ shows that pages 13-16 constituted originally the middle of the quire.

The formal, angular, generally cramped hand that inscribed most of the codex (h[1]) tends to slope to the right. At page 21, line 23 χολουε (or perhaps some words earlier) a

---

[1] Demotic columns II* and I*.

[2] Columns 14, 15, 16, 17 = demotic columns IV, III, II, I.

[3] See J.H. Johnson, *loc. cit.*, pp. 38-39, 48-49; *eadem* in Betz, *Translation*, pp. 169-70. For the same reasons PGM XII 453 from Col. 15 as well as 466-68 and 471-73 from Col. 16 have not been transcribed in the present edition.

[4] On single-quire codices, see E.G. Turner, *The Typology of the Early Codex*, pp. 57-60.

second hand (h2) took over and wrote to the end of page 25; pages 26-30 are blank. By comparison with the first hand, the second is round, relaxed, upright, and sometimes semi-cursive. The second hand strikes me as being responsible also for the first four lines in the upper margin of page 4, the last two lines in the lower margin of page 9, and the three lines in the lower margin of page 19. The first hand is characteristic of the middle of the fourth century AD; by itself the second hand might have been dated somewhat earlier.

The photographs of J 395 that are reproduced here have been reduced by some 25%.

Method of Publication

The transcriptions that accompany the photographs are semi-diplomatic. The Greek is printed without accents; breathing and punctuation appear only were the scribe supplied them. However, when word division is certain or close to certain, it is given, and so are certain or nearly certain restorations.

The following editorial signs with their usual meanings are used in the semi-diplomatic transcriptions:

- [ ] lacuna
- ⌊ ⌋ now a lacuna, but read on the papyrus by earlier editors
- ⟦ ⟧ deletion by the scribe
- ` ´ insertion above the line

The high strokes ` ´ are not used consistently; for the sake of clarity, letters are put above the line of writing when the supralinear letter is supposed to replace the letter written first, i.e. τ$\overset{ω}{ο}$ν and τ⟦$\overset{ω}{ο}$⟧ν rather than the uneconomical and confusing το`ω´ν[5] and τ⟦ο⟧`ω´ν. All dots under the line of writing are editorial:[6] those within brackets indicate the estimated number of letters lost or deleted, those outside brackets illegible letters, and those under letters uncertain readings.

A raised asterisk * in the *apparatus criticus* of the transcriptions marks words or longer passages that are discussed in the suggestions towards the improvement of PGM XII and XIII in pp. xiv-xxvii below.

Three editorial signs which are not to be found in the semi-diplomatic transcriptions are used in the suggestions towards the improvement of PGM XII and XIII below in pp. xiv-xxvii. These signs are:

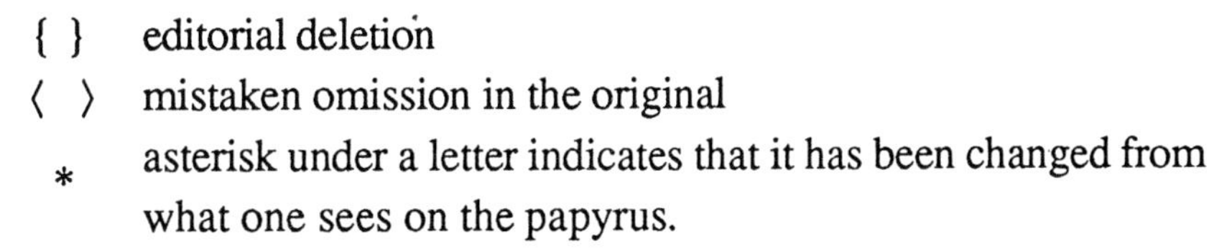

- { } editorial deletion
- ⟨ ⟩ mistaken omission in the original
- * asterisk under a letter indicates that it has been changed from what one sees on the papyrus.

---

5 When τ$\overset{ω}{ο}$ν was intended to mean των, neither τ⟦ο⟧`ω´ν nor τ{ο}`ω´ν seems appropriate in a diplomatic transcription.

6 So as to avoid confusion, deletion by expunction is not represented by dots above or below letters in the transcriptions, but like other kinds of deletion by ⟦ ⟧.

Preisendanz rarely printed dots under letters, probably to spare printing costs, and he tended to give letters either without dots as if they were completely preserved and certain, or to put them inside brackets as if they were not to be seen at all, whereas in both cases a dot under the letter would have been the preferable practice. Most of these minor divergences between the present dotted transcriptions and Preisendanz' by and large undotted ones are not noted in the *apparatus criticus*. In other respects the *apparatus* is as spare as possible and concerned exclusively with readings; for most matters it is assumed that scholars who consult this book have at hand PGM's normalized transcriptions and fuller critical *apparatus* as an aid to interpretation.[7]

Abbreviations

The abbreviations for the names of scholars whose readings are referred to in the *apparatus* are the same as those used in PGM:

L = Leemans — For J 384 and 395: C. Leemans, *Papyri Graeci Musei Antiquarii Publici Lugduni-Batavi,* Tomus II (Leiden 1885).

R = Reuvens — C.J.C. Reuvens. Leemans' edition was based almost completely on Reuvens' hand-drawn transcriptions (see e.g. introductions to PGM XII and XIII), and so as to credit the latter an R is usually placed before L(eemanns). Reuvens' transcriptions were not available to me, but when it was possible to tell from the remarks of earlier editors that there was a difference in reading between the two Dutch scholars, then R(euvens) and L(eemans) are referred to separately.

D = Dieterich — For J 384: A. Dieterich, *Papyrus Magica Musei Lugdunensis Batavi quam C. Leemans edidit in Papyrorum Graecarum Tomo II (V),* Jahrbücher für classische Philologie, Supplbd. 16 (Leipzig 1888), pp. 747-828. The introductory section (pp. 749-792) of this edition was reprinted in Dieterich's *Kleine Schriften* (Leipzig - Berlin 1911), pp. 1-47.

For J 395: A. Dieterich, *Abraxas: Studien zur Religionsgeschichte des späteren Altertums* (Leipzig 1891).

---

[7] For further material on PGM XII and XIII, see K. Preisendanz, "Die griechischen Zauberpapyri," *Archiv für Papyrusforschung* 8 (1927) 104-167, esp. 120-123. More recent literature on these texts is to be listed in W. Brashear's forthcoming *Greek Magical Papyri: A Survey,* scheduled to appear in Aufstieg und Niedergang der Römischen Welt.

Pr = Preisendanz — For J 384 and 395 (PGM XII and XIII). K. Preisendanz, *Papyri Graeci Magicae II. Die griechischen Zauberpapyri*, zweite, verbesserte Auflage durchgesehen und herausgeben von A. Henrichs (Stuttgart 1974).

An arrow → meaning 'should be changed' to is used here for the sake of convenience.

2 κτέρεα, ἀν[ελ]ίττων → κ̣ . ρια . . . . ν or a similar diplomatic transcription (see the *app. cr.* for palaeographical possibilities). Preisendanz' suggestion is based on his reading κτεριααν λ̣ι̣ττων, but αν λ̣ι̣ττων cannot be read (the space available allows for five or at most six letters before the last ν, certainly not eight), and before this κτέρεα is at best a possibility. Preisendanz correctly rejected Reuvens' ιcπριων (r. ὀcπρίων) ἐπιετῶν (accepted also by Dieterich).

9 εἰ [δ]ὲ ὀνειροπο̣μπεῖ, ἀνάψειc → ἂν̣ ἐ̣π' ὀ̣νειροπομπείαν ⟨e.g. ἀφῇc⟩, ἄψειc (cf. the following parallel sentence in 10 ἂν ἐπὶ φόνον πέμπῃc, δὸc [α]ὐτῇ τὸ ξίφοc κτλ). In ἂν̣, the α is clear, and so are the left vertical and part of the oblique of ν̣. In ἐ̣π', the right side of π is visible (neither ειc nor εc seems possible). Apparently the verb of the protasis has fallen out, and so one should supplement probably ὀνειροπομπείαν ⟨ἀφῇc⟩, ἄψειc (assuming a kind of haplography) or perhaps ὀνειροπομπείαν ⟨πέμπῃc⟩, ἄψειc.

12 [π]οιῶν τάδε cannot be verified and should be changed to a diplomatic rendering of the traces such as [̣] . . . . . [̣]τ̣ . α. RL transcribed . . . λ . . . . . . η, for which D proposed [ἀπο]λ[υομέν]η. Given the palaeographical difficulties and open context, it is probably pointless to guess at what the papyrus contained.

15-16 πο[ι]εῖ δὲ πράξε[ι]c ταύταc καὶ ὀνειρ̣[ο]|πομπείαν, ἀγρυπνίαν ποιεῖ κ[α]ὶ διαλλάccει κ[ακ]οδαίμο[νο]c, [ἐ]ὰν ὀρθῶc αὐτῷ χρήcῃ κα[ὶ] ἁγνῶc. The Greek is neither clear nor idiomatic, and hence translators have had to fudge: "Er erzielt folgende Wirkungen, Traumsendung, Schlaflosigkeit bewirkt er und befreit von bösem Dämon - - - " (PGM); "among his operations, he sends dreams or causes sleeplessness; and he releases from an evil spirit - - -" (H.Martin in Betz, *Translation*). In 16 one might better restore the accusative plural κ[ακ]οδαίμο-[να]c after διαλλάccει.[1] Later in the line, the reading of κ[α]ὶ after ποιεῖ is unsound. Where κ was read, I clearly see a piece of writing that can be regarded as the base of δ and part of its right side; after this there is space for one letter only; my guess is that ποιεῖ is followed by δ[ὲ] here as in 15. The new reading πο[ι]εῖ δὲ πράξε[ι]c ταύταc καὶ ὀνειρ[ο]|πομπείαν, ἀγρυπνίαν ποιεῖ δ[ὲ] διαλλάccει κ[ακ]οδαίμο[να]c κτλ. at first sight does not appear to solve the difficulties, but it allows for the application of Brinkmann's methodology and the restoration of normal idiom: πο̣[ι]ε̣ῖ δὲ {πράξε[ι]c ταύταc καὶ} ὀνειρ̣[ο]πομπείαν, ἀγρυπνίαν. ποιε̣ῖ δ̣[ὲ] ⟨πράξε[ι]c ταύταc καὶ⟩ διαλλάccει κ[ακ]οδαίμο[να]c κτλ.

17 ἔcτιν γὰρ ἔχων πᾶcαν πρᾶξιν. Here γὰρ ἔχων → παρέχων. Palaeographically it is difficult to decide whether the first letter is a round γ that descends into the following α, or whether it is a round π. But παρέχων yields better sense, and it is

[1] So R. Merkelbach - M. Totti, *Abrasax* I, pp. 66 and 76.

supported by PGM P21 (p. 229), 19-20 παρεχόμενοί μοι νίκας, χάριν, πρᾶξιν πρὸς τὸν δεῖνα κτλ.; cf. also PGM XII 271-72 δακτυλίδιον πρὸς ἐπίτευξιν καὶ χάριν καὶ νίκην. ἐνδόξους ποιεῖ καὶ μεγάλους καὶ θαυμαστοὺς καὶ πλουσίους κατὰ δύναμιν ἢ τοιούτων φιλίας παρέχει.

19 ἔκδεξ[ι]ν [τ]ῶνδε is certainly wrong and, until a better reading is found, should be changed to a diplomatic rendering of the traces more or less like that proposed here: εκδεξ.. ν δε τ... ν.

[ἡ δὲ ἀριστε]ρὰ χείρ → τῇ [ἀριστε]ρᾷ χερί with the papyrus and, in substance, with Dieterich. For the spelling χερί, cf. Gignac, *Grammar* I, p. 259.

20 π[άντα ταῦτ]α as restored by Preisendanz is almost certain; I see παντ[α ταυτ]α.

23-27 εἶτα τα[ῦτ]α |[24] ποιήσας καὶ παραθείς, ὡς ὑ[π]όκειται **ποιήσας** (so Pap.; ποιήσεις Pr following L) **τὸν Ἔρωτα ἐπὶ τρ[α]πέζης πανκάρ|[25]που ἐχούσης τοὺς ζ λύχνους καιομένους λευκῷ ἐλαίῳ καὶ ὅσα προσγέγραπται** |[26] ὥστε πείθειν τὸν θαυμαστὸν Ἔρωτα. πρώτῃ μὲν ἡμέρᾳ **ἐπιθέντος σου αὐτὸν** |[27] **ἐπὶ τὴν τράπεζαν καὶ κοσμήσαντος, ὡς προγέγραπται** — γράφω δέ σοι κτλ. This passage is confused and repetitive. In the two sections that are printed bold I believe that we are dealing with variant versions: the same operation is described twice, and in my opinion the first is pointlessly elaborate; ὡς προγέγραπται and the inferior ὅσα προσγέγραπται appear to be the nearly identical ends of the variant passages. The curious ὡς ὑπόκειται, furthermore, if it is not a slip for the expected ὡς πρόκειται, can be explained as the introduction of the longer version that was originally in the upper margin: i.e. 'as is given below (in the other exemplar)', in other words the equivalent of a marginal κάτω introducing a variant.[2] If this analysis is correct, the originally marginal material may be set within braces and the punctuation altered as follows: εἶτα τα[ῦτα] | ποιήσας καὶ παραθείς, {ὡς ὑ[π]όκειται·[3] ποιήσας τὸν Ἔρωτα ἐπὶ τρ[α]πέζης πανκάρ|που ἐχούσης τοὺς ζ λύχνους καιομένους λευκῷ ἐλαίῳ καὶ ὅσα προσγέγραπται} | ὥστε πείθειν τὸν θαυμαστὸν Ἔρωτα, πρώτῃ μὲν ἡμέρᾳ ἐπιθέντος σου αὐτὸν | ἐπὶ τὴν τράπεζαν καὶ κοσμήσαντος, ὡς προγέγραπται — γράφω δέ σοι κτλ. For the inconsistencies in the piled up participial constructions, see Mayser, *Grammatik* II.3, pp. 68 ff. and 70 ff.

29 πλίνθους ὠμὰς δύο λαβὼν ποίησον κέρατα δ̄. The reading ὠμάς Pr (where D read γηί]νας, and RL . . . ας) is close to certain and well-paralleled. The problem is the general sense: "nimm zwei ungebrannte Ziegel, mach vier Ecken" (Preisendanz). κέρας, however, has not been attested as meaning 'corner', 'edge' or 'side', and in general the phrasing is too elaborate to mean that two bricks should simply be set side by side (as in PGM IV 30-31: ποίησον ἐπὶ δύο πλίνθων ἐπὶ κροτάφων ἑστηκυιῶν - - - πυράν). H. Martin (in Betz, *Translation*) gives "take

---

[2] See below on line 229 with note 5.

[3] If one regards ὡς ὑπόκειται as a slip for ὡς πρόκειται, one should print rather παραθεὶς ὡς π[ρ]όκειται {ποιήσας κτλ.

two unbaked bricks and form them into 4 horn-shaped objects," but the instructions can hardly be telling us to make (carve?) four objects out of two bricks. It seems, then, that either δύο or δ̄ is not sound. Given the corrupt nature of the transmission, one might consider for example ⟨δεκα⟩ δύο or ⟨κατὰ⟩ δύο, but the likeliest error is haplography of distributive δύο δύο (cf. Blass - Debrunner - Funk, *Greek Grammar*, § 248), and so I would print δύο ⟨δύο⟩. Cf. already R. Merkelbach - M. Totti (*Abrasax* I, p. 67) "nimm je zwei ungebrannte Ziegel."

36 βω[μ]ῷ̣ εἰc[θέc] may capture one of the senses that might be expected, but the reading cannot be confirmed. I print β. . . . . . . with RL. Possibly βω̣μ̣ω̣ is correct (the first ω, however, is most uncertain; it could well be α, λ or ο; and the rest is guess work), but then ειcθεc is too long for the space of *c*. 3 letters that would follow. We know that we are dealing with the sacrifice of the second chick, and given the palaeographical difficulties we may have to settle for this minimum of information.

38 ἀπάντων → πάντων with previous editors. There is a superfluous curved stroke before the π, but it cannot be read as α.

54-55 ποίηcον αὐτοὺc ἐνφόβουc, ἐντρόμουc, ἐπτοημένουc, τὰc φρένας | ἐνοχλ[ήc]αc διὰ τὸν φόβον cου κτλ. The comma after ἐπτοημένουc should be removed; for the nexus, cf. especially Aesch., *Prom.* 856 οἱ δ' ἐπτοημένοι φρέναc. After this, ἐνοχλ[ήc]αc will not do at all; RLD read πο[ιήc]αc, which may be the right word: I see π̣οι . c̣ . . . αc, where the first letter could possibly be τ.

58 ἤδη ἤδη, ταχὺ [τ]α[χ]ύ. [λόγοc] δεύτεροc is given by Pr where RLD printed ἤδη ἤδη ταχὺ. [λόγοc] δεύτεροc and where I give ηδη ηδη ταχυ τ̣α̣[χυ] δευτεροc. The traces before the lacuna are compatible with τα, certainly not with λο. Since between the first ταχύ and δεύτεροc there is space for at best four letters and certainly no more than five, I suspect that Pr inherited [λόγοc] from earlier editors, where modern conventions require ⟨λόγοc⟩. The present passage should probably be given as follows: ἤδη ἤδη, ταχὺ τ̣α̣[χύ]. ⟨λόγοc⟩ δεύτεροc.

61-62 ποίηcον cτρέφεcθ[αι πάντ]αc ἀνθρώπουc τε καὶ πάcαc γυναῖκαc | ἐπὶ [ἔ]ρωτά μου. As a reading ἐπὶ [ἔ]ρωτά is impossible, and if one regards it as a conjecture, its specifically amatory sense is out of place, for this tripartite charm is aimed at general success and superiority over everyone else; cf. the preceding lines 49-50 διακόνηcόν μοι εἴτε πρὸc ἄνδραc καὶ γυναῖκαc, μικροὺc τε καὶ μεγάλουc, καὶ ἐπαναγκάcῃc ἀεὶ αὐτοὺc ποιεῖν πάντα τὰ [γ]εγραμμένα ὑπ' ἐμοῦ, and the following lines 69-71 καὶ δοῦναί μοι χάριν, ἡδυγλωccίαν, ἐπ[αφ]ροδιcίαν πρὸ[c] πάνταc ἀνθρώπουc καὶ πάcαc γυναῖκαc τὰc ὑπὸ τὴν κτίcι[ν], ἵνα μοι ὦcι ὑποτεταγμένοι εἰc πάντα, ὅcα ἐ[ὰν] θέλω. Where Pr gave ἐπὶ [ἔ]ρωτά, RL saw ε̣υ̣πιc̣θωc, which is an entirely possible reading. ευ, in my opinion, is the only possible interpretation of the first two letters. Between π and θ, one possibility is ι̣c̣, but I find η̣ (= ευπηθωc) still better, because under magnification one can see that when the scribe reached the bottom of the vertical, he ascended and moved into a horizontal, of which the very beginning still survives.

On the basis of the reading of RL, εὐπίcτωc or εὐπείcτωc could have been defended against the various conjectures that have been made, but this is all the easier with the new reading εὐπηθῶc (r. εὐπειθῶc) μου 'obedient to me'.

62 The elsewhere unattested παραφίμῳ should be changed to παραψίμῳ ('charm that works by contact') with the papyrus, as was pointed out by K.F.W. Schmidt, *Philol. Wochenschr.* 55 (1935) 1174, adducing PGM VII 973-80 ἀγώγιμον παράψιμον· - - - ἐπαναγκάcατε τὴν δεῖνα τῆ[c] δεῖνα, ἐὰν ἅψαιμι, ἐπακολουθῆcαι. Cf. also IV 2173-4 ἧc δ' ἂν παράψῃ γυναικὸc ἢ ἀνδρόc, φιληθήcει. From PGM's index (Vol. 3, p. 158) it is clear that Preisendanz recognized the correctness of Schmidt's suggestion: under παραφίμῳ he refers to the present passage, but states "l. παραψίμῳ," and under παράψιμον he refers to the present passage, to that in PGM VII and to Schmidt's remarks. The word is also preserved as the name of a charm in the fragmentary P. Laur. III 57 Fr. A, 2 (to be republished as Suppl. Mag. 82). The magical notion of the law of contact is present not only in the names of these charms, but throughout the magical texts.

63 αβλα[ν]αθαναλβα → αβλαθαναλβα with the papyrus; cf. e.g. PGM VIII 61 αβλαθ(αναλβα); XXXVI 190 αβλαθανα.

100 πρὸc τὸν οὐδόν, ὅ[που] εἶ, τὸ ὠόν → πρὸc τὸν οὐδόν. c[ὺ] εἶ τὸ ὠόν with the papyrus and earlier editors. The restoration proposed by Preisendanz is too long. Cf. 101 cὺ εἶ τὸ ὠόν and 106 cὺ εἶ ἡ ἐργαcία μου, cὺ εἶ ὁ μέγαc Ἄμμων.

103 δὸ[c ἐ]μοί → δό[c] μοι with previous editors by reason of space.

106 ὁ ἐν οὐρανῷ να[ίων, ἐλθ]έ, βοήθηcόν μοι → ὁ ἐν οὐρανῷ· να[ί, κύρι]ε, βοήθηcόν μοι. The poetic ναίω, which occurs elsewhere in the magical papyri only in the hexametric PGM II 83, is out of place in the present prose passage, and the restoration is slightly too long. For the standard ναί, κύριε, followed at greater or less distance by an imperative, cf. PGM I 216; IV 1704; VII 989; XII 261; XIX a-b 50; Suppl. Mag. 42. 35, 40; 57. 14. For a full treatment of ναί followed by a vocative in Greek prayer (with references to the magical papyri), see A.J. Festugière, *Symb. Osl.* 28 (1950) 89-94; 29 (1952) 78.

109 ὀν[ειροπ]ομπεῦcαι was read and restored by Preisendanz, but the form in -ευω is elsewhere unattested, and the reading of υ is altogether uncertain. So as not to enrich the Greek language with a new form where the reading is so difficult, one should probably posit a misspelling of the expected ὀνειροπομπῆcαι: probably ὀν[ειροπ]ομπεῖcαι or perhaps ὀν[ειροπ]ομπε͂cαι.

118-19 ᾧ πᾶc ἄγγελοc τὰ ἐπιταcίcόμενα ἀποτελεῖ. θεῖον ὄνομά cοι κτλ. → ᾧ πᾶc ἄγγελοc τὰ ἐπιταcίcόμενα {α} ποι⟨εῖ⟩. θεῖον ὄνομά cοι κτλ. Preisendanz gave ἀποτελεῖ as a conjectured improvement; it was originally read (?) by Dieterich, but the papyrus clearly has αποιθειον. The phrase τὰ ἐπιταccόμενα ἀποτελεῖ, furthermore, cannot be paralleled in the magical papyri. In the problematic sequence of letters αποι one should recognize dittography of the preceding α and a misspelling of ποιεῖ. For the nexus τὰ ἐπιταccόμενα ποιεῖ, cf. especially PGM IV 1430-2 ἄχριc ἂν ποιήcῃ τὰ ἐπιταccόμενα αὐτῇ ὑπ' ἐμοῦ;

also IV 2054 ὃ θέλειϲ ἐπίταξον, καὶ ποιῶ; VII 479-81 τοῦ⟨το⟩ γὰρ ἐποίηϲα κατ' ἐπιταγὴν - - - ἀφ' οὗ ἐπιταϲϲόμενοϲ ποιήϲειϲ. In the passage under consideration ποιεῖ might have generated ποι either by simple omission or by vowel simplification (for the latter, see Gignac, *Grammar* I, pp. 199-200).

120 τὸ ὄνομα ἔνδοξον, ὄνομα τὸ κατὰ πάντων τῶν χρειῶν is abundant and not entirely in accordance with the regular use of the definite article. Difficulties disappear with the application of Brinkmann's methods: τὸ {ὄνομα} ἔνδοξον ὄνομα τὸ κατὰ πάντων τῶν χρειῶν.

128-37 contains two passages that are suspiciously repetitive of each other. They are best surveyed side by side:

Lines 128-31.	Lines 131-37.
	εἶτα λαβὼν ἀμίλτωτον λύχνον
	ἄγραφον ἐνλυχνιάϲαϲ πλῆϲον
ἔνγραφε εἰϲ τὸ ῥάκοϲ καὶ	κεδρίᾳ ἅψαϲ δὲ ἐπίλεγε
τὰ ἓξ (ὀνόματα) τοῦ	**τὰ ὑποκείμενα (ὀνόματα) γ**
θεοῦ	**θ(εοῦ)**
καὶ ὅϲα θέλειϲ ἰδεῖν τὸν ⟨δεῖνα⟩	
καὶ ὥϲ	
χαλαμανδριωφ ιλεαρζωθ	**χαλαμανδριωφ ιδεαρυωθ**
ρεδαφνιω ερθιβελνιν	**θρεδαφνιω ερθαβεανιγ**
ρυθαδνικω ψαμμεριχ	**ρυθανικω ψαμμοριχ**
ὑμῖν λέγω	
	τὰ ἅγια τοῦ θ(εοῦ) (ὀνόματα)
	ἐπακούϲατέ μου
καὶ ϲοί (ϲυ Pap.)	**καὶ ϲὺ**
μέγα δυναμένωι **δαίμον⟨ι⟩**	Ἀγαθὲ **Δαίμων**
	οὗ κράτοϲ μέγιϲτόν ἐϲτιν ἐν θεοῖϲ
	ἐπάκουϲόν μου
πορεύθητι εἰϲ τὸν τοῦδε	**πορευθεὶϲ πρὸϲ τὸν δ(εῖνα)**
οἶκον	**εἰϲ τὸν οἶκον**
	αὐτοῦ ὅπου κοιμᾶται εἰϲ τὸν
	κοιτῶνα αὐτοῦ καὶ παραϲτάθητι
	αὐτῷ φοβερὸϲ τρομερὸϲ μετὰ τῶν
	τοῦ θ(εοῦ) μεγάλων καὶ κραταιῶν
	(ὀνομάτων)
καὶ λέγε αὐτῷ τάδε	**καὶ λέγε αὐτῷ τάδε**

There can be little doubt that the first of these passages had its origin in several marginal glosses pertaining to the second passage. Where bold print matches bold, we are probably dealing with variants and marker-words designed to show at which position variants or omissions should be supplied. In the first passage the words that are not printed bold are likely either to supply what was omitted in the second passage or to contain glossar's comments. If this analysis is correct, the first passage should be bracketed out of the text entirely, but it should be used to supplement and improve the second one when considered appropriate. I would print 128-137 as follows:

{ἔνγραφε εἰϲ τὸ ῥάκοϲ καὶ τὰ ἕξ ὀνόματα τοῦ θεοῦ καὶ ὅϲα θέλειϲ ἰδεῖν τὸν ⟨δεῖνα⟩ καὶ ὡϲ χαλαμανδριωφιλεαρζηωθρε δαφνιωερθιβελνιν ρυθαδνικωψαμμεριχ ὑμῖν λέγω καὶ cὺ μέγα δυναμένωι δαῖμον, πορεύθητι εἰϲ τὸν τοῦδε οἶκον καὶ λέγε αὐτῷ τάδε.} εἶτα λαβὼν ἀμίλτωτον λύχνον ἄγραφον ἐνλυχνιάϲαϲ πλῆϲον κεδρίᾳ· ἅψαϲ δὲ ⟨ἔνγραφε εἰϲ τὸ ῥάκοϲ καὶ⟩ ἐπίλεγε τὰ ⟨ἕξ⟩ ὑποκείμενα ὀνόματα {γ} θ(εοῦ) ⟨καὶ ὅϲα θέλειϲ ἰδεῖν τὸν ⟨δεῖνα⟩⟩· χαλαμανδριωφ ιδεαρυωθ θρεδαφνιω ερθαβεανιγ ρυθανικω ψαμμοριχ· ⟨ὑμῖν λέγω⟩, τὰ ἅγια τοῦ θεοῦ ὀνόματα, ἐπακούϲατέ μου, καὶ ϲύ, Ἀγαθὲ Δαίμων, οὗ κράτοϲ μέγιϲτόν ἐϲτιν ἐν θεοῖϲ, ἐπάκουϲόν μου κτλ.

In three places the first passage provides material that can neatly be incorporated into the second passage: 128-9 ἔνγραφε εἰϲ τὸ ῥάκοϲ καί; 129 καὶ ὅϲα θέλειϲ ἰδεῖν τὸν ⟨δεῖνα⟩; and 130 ὑμῖν λέγω. It must remain a subjective matter as to what extent and how the second passage should be further altered in light of the first. Here follow some remarks on details:

129 καὶ ὅϲα θέλειϲ ἰδεῖν τὸν ⟨δεῖνα⟩: one may also supply τόν⟨δε⟩. The entire phrase is to be supplied in 133 between ὀνόματα γ θ(εοῦ) and the six magical words. Cf. the preceding 108-9 ἐνγράψαϲ - - - τὰ ὑποκείμενα καὶ ὃν θέλειϲ ὀν[ειροπ]ομπεῖϲαι.

καὶ ὡϲ is a remark of the glossar, 'also as follows', introducing the variants of the six magical words.

130-31 μέγα δυναμένωι δαῖμον and 134 Ἀγαθὲ Δαίμων: I have not altered 134, but one might consider ⟨μέγα δυνάμενοϲ⟩ Ἀγαθὲ Δαίμων or perhaps ⟨μέγα δυνάμενοϲ⟩ {ἀγαθὲ} δαίμων or δαῖμον. Cf. PGM XIII 290 πολὺ δυνάμενοϲ ἐν κόϲμῳ; XIXb 14 ϲὺ δυνάμεν[ο]ϲ.

132-3 τὰ ⟨ἕξ⟩ ὑποκείμενα ὀνόματα {γ} θ(εοῦ): alternatively one might print τὰ ὑποκείμενα ὀνόματα ϛ θ(εοῦ) and indicate in the *apparatus criticus* that the papyrus has γ.

⟨καὶ ὅϲα θέλειϲ ἰδεῖν τὸν ⟨δεῖνα⟩⟩: see above on 129.

134 Ἀγαθὲ Δαίμων: see above on 130-31.

141 κ[αὶ τ]ρήϲαϲ ϲε κατακόψει → κ[αὶ ὁ] Βηϲᾶϲ ϲε κατακόψει. After the lacuna the papyrus has βειϲαϲ. The curved stroke after the break is too high and oblong to be the loop of ρ; it can only be from the upper half of β, and the papyrus still preserves faint traces of the bottom of this letter. The figure of Bes is employed in the present dream-oracle (lines 122-28), and it is from him as god of prophesy that the dream is

derived. In 128 we read that he is armed with daggers at both his ankles,[4] and it is with these daggers that Bes in his role of armed monster-god (his apotropaic functions were manifold) would make mince-meat of the daemon that should disobey the command to bring the dream.

149-50 δεῖξαί μοί τι[να] μορφήν cου → δεῖξαί μοι τῆ̣[ν] μορφήν cου with earlier editors. Before the lacuna is a vertical that could either be ι or the left side of η; after the break, the right half of μ. The lacuna has the breadth of two letters, and it is filled perfectly with the right half of η, a ν and the left half of μ. The present request for a dream instructs one to draw a figure of Hermes-Thoth on a piece of linen as follows: ὀρ[θ]όν, ἰβιοπρόcωπον 'standing, ibis-faced'; it is specifically in this characteristic form that the god should appear in the dream. For ἡ μορφή rather than τις μορφή in somewhat similar passages, cf. e.g. PGM IV 3221-2 δείξαcα τὴν καλήν cου μορφήν; XIII 583-4 ἵνα μοι φανῇ ἡ ἀληθινή cου μορφή; 616-7 φανήτω μοι ἡ ἀγαθή cου μορφή.

162 τεκμηριο[ῖ]c̣ δέ → τεκμήριο[ν] δέ with earlier editors and K.F.W. Schmidt, *Philol. Wochenschr.* 55 (1935) 1175. Preisendanz' transcription cannot be verified, and τεκμήριον δέ is the idiomatic phrase that one expects at the beginning of this sentence.

176-211 = Col. VI. GENERAL REMARKS. Due to the loss of a strip of papyrus, about 6-10 letters have to be supplied within the right third of each line in this column. Since this rule was not consistently observed in PGM, the text has to be altered in numerous places.

176 ὁ δολο⟨ποιῶν⟩ is printed mistakenly with diamond brackets where square ones [ ] would be correct. But even ὁ δολο[ποιῶν] is not satisfactory, for the restoration does not sufficiently fill the lacuna, and the definite article is unexpected in the present series of epithets. The papyrus has οδολοπ̣[or οδολοτ̣[followed by a lacuna of some six or seven letters.

τέλει δὲ καὶ τὸ τοῦ 'Ηλίου ὄνομα πρὸc πάντα → π̣ο̣ι̣εῖ δὲ καὶ τὸ τοῦ 'Ηλίου ὄνομα πρὸc πάντα with the papyrus and RLD. The reading of τέλει is hardly acceptable. In π̣ο̣ι̣εῖ, the letters ο̣ι̣, though not completely preserved, are close to certain. Before the omicron, some ink that can be explained as the upper and lower right extremities of π. RL convincingly translate, "efficax autem est solis nomen in omnibus rebus," and compare XII 281 ποιεῖ δὲ καὶ πρὸc δαιμονοπλήκτουc, of the aforementioned magical ring. Cf. also PGM XXXVI 36-37 θυμοκάτοχον καὶ χαριτήcιον καὶ νικητικὸν δικαcτηρίων βέλτιcτον, μέχρειc καὶ πρὸc βαcιλέαc ποιεῖ; 276 ποιεῖ δὲ καὶ πρὸc δαιμονοπλήκτουc; X 24-25 θυμοκάτοχον, πρὸc πάνταc ποιῶν· ποιεῖ γὰρ πρὸc ἐχθροὺc καὶ κατηγόραc κτλ.

---

[4] Cf. PGM VIII, col. 3 (reproduced in PGM, Vol. 2, Tafel I, Abb.6) for a figure of Bes with a dagger in his right hand. Cf. H. Bonnet, *Reallexikon der ägyptischen Religionsgeschichte*, p. 102 (fig. 34) and p. 106 (fig. 36) for Bes with a dagger in his right hand, respectively with daggers in both his hands; cf. also *Lexikon der Ägyptologie* I, col. 722.

177 ηφαιη Ἥφαιc[τ]ε → ηφαιη ηφαιc[......]ε. The actual size of the lacuna was ignored. We may be dealing with magical words, and Ἥφαιc[τε *vel sim.* is only a possibility.

177-78 λαμ|προφοῖτα (λαμ|προφαιτα Pap.) was first suggested by Dieterich. Since the word is apparently a hapax, Dieterich's two other conjectures deserve consideration, and should have been recorded in the *apparatus criticus* of PGM, namely the attested λαμπροφαῆ and λαμπροφεγγῆ. The former is appealing in light of πυριφαῆ, which directly precedes; the latter occurs also in PGM IV 386 and 714-5.

179 ἐὰν βούλῃ τινὰ ὀργιζόμενόν cοι καταπαῦcαι (cοι τινα παυcαι Pap.) → ἐὰν βούλῃ τινὰ ὀργιζόμενόν cοι {τινα} παῦcαι by the application of Brinkmann's methodology. Cf. already Leemans *ad loc.*: "alterum τινά abundat." It is noteworthy that Preisendanz printed -όμενόν cοι παῦcαι for the present passage in his index (PGM, Vol. 3, p. 148).

183 αβ]λαναθαναλβα → αβ]λαναθαναβλα with the papyrus; so spelled (-βλα) e.g. in Suppl. Mag. 10. 1, 3.

184 θε[όc, cανκ]ανθαρα. Before the lacuna is a vertical that starts at the middle horizontal of the preceding epsilon and descends below the line. Probably the word that begins before the lacuna is θεῖ̣[oc.

193 ἅ[μα] → α[.......]. Dieterich's ἁ[νχούcηc ∠.] is the sort of thing one expects, and the restoration need not be too long for the lacuna.

194 κ[αθ' ἡ]μέραc $\bar{\gamma}$ is at least three letters too short for the lacuna. Dieterich's κ α̣ὶ̣ [ἔαcον ἡ]μ̣έραc $\bar{\gamma}$ seems close to certain.

196 ἁλὸc κοινοῦ κεράτ[ιον or ἁλὸc κοινοῦ κεράτ[ια ̣ , i.e. κεράτ[ια followed by a numeral-letter.

197 βάπ[τε τρ]ίc is too short for the lacuna. One might consider for example βάπ[τιcον τρ]ίc or βάπ[τε ἑπτάκ]ιc.

199 πυρώ[cα]c βάψον is too short; probably πυρώ̣[cαc τρὶ]c βάψον.

201 βάλε εἴ[cω] → βάλε εἰ[c .....]ν, though the lacuna could be even a bit larger. It is certain that part of ν is preserved after the lacuna.

204 ἔτι μέcον → ἐν μέcῳ. The papyrus has εν μεcον; the first ν, which is of the writer's square type, is certain. For ἐν with the accusative instead of the dative, see S.G. Kapsomenakis, *Voruntersuchungen zu einer Grammatik der Papyri der nachchristlichen Zeit* (Münchener Beiträge 28, 1938), pp. 111-12.

210 τελετὴ δὲ ἡ κατ[αcκευ]ὴ ἡ ὑπογεγραμμένη → τελετὴ δὲ ἡ κατ[ὰ πάντω]ν ἡ ὑπογεγραμμένη following in substance Eitrem (*Aegyptus* 6, 1925, 119-20). The letter after the lacuna can only be the right part of ν.

229 εἰμι ὁ ἀ⟨εὶ⟩ ἴcοc, ὁ ἐκπεφυκὼc ἐκ τοῦ βυθοῦ is not sound because ἀ⟨εὶ⟩ ἴcοc is based on a false reading. The papyrus has ειμι ο ανοc ο εκπεφυκωc εκ του βυθου. In ανοc, a ν of the scribe's square type is preferable to γι (i.e. ἅγιοc) RLD and η (i.e. αηοc, a magical word) Eitrem, and the reading ιc Pr is certainly wrong. I suspect that ανοc had its origin in a glossar's remark that was originally written in the bottom margin: ἄν(ω) ὡc· ὁ ἐκπεφυκὼc ἐκ τοῦ βυθοῦ, i.e. 'above read as

follows: ὁ ἐκπεφυκὼc ἐκ τοῦ βυθοῦ.'[5] If so, ανοc will have displaced a word, and in light of PGM IV 1683-4 ὁ λωτὸc ὁ πεφυκὼc ἐκ τοῦ βυθοῦ one might print εἰμι ὁ {ανοc} ⟨λωτὸc⟩ ὁ ἐκπεφυκὼc ἐκ τοῦ βυθοῦ.

231 Μαρμαραυωθ → Μαρμ⟨αρ⟩αυωθ. The papyrus has μαρμαυωθ as was noted by earlier editors.

241 ἑλίccεται is printed following a conjecture of Usener where the papyrus has ελευcεται. Since emendation is necessary, one should probably give ἀνοίγεται following the standard formula (ἀνοιγήcεται Merkelbach[6]). Once ἀνοίγεται was written ΑΝΥΓΕΤΑΙ, it could easily be miscopied as ΕΛΕΥCΕΤΑΙ.

307 τοῦτο[ν] → τοῦτο⟨ν⟩

403 ἄλ[λ]α → ἄλ⟨λ⟩α

404 εὐλαβούμενοι can actually be read on the papyrus; the first letter is a cursive ε, not a c.

445-52 (Col. 14) consist of demotic with Old Coptic glosses, and hence are not transcribed in the present edition; see above, p. x with note 3.

453 is not given in the diplomatic transcription of the Greek section of Col. 15, because it is a magical name in Old Coptic according to J.H. Johnson, *OMRO* 56 (1975) 40-41, 48.

466-68 and 471-73 consist of demotic with Old Coptic glosses, and hence they are not given in the present transcription of the Greek in Col. 16; see Johnson, *OMRO* 56 (1975) 42-43; *eadem* in Betz, *Translation*, pp. 170-171.

463-64 Although the papyrus definitely has εκειlμει (κ cannot be read as γ with ω above it), Preisendanz' suggestion of ἐγώ εἰlμι is attractive.

469-70 The interpretation proposed for these extremely difficult lines seems forced, and a number of the readings probably have to be rejected. I have not been able to make any progress here.

489 does not exist. If one counts the lines between PGM XII 482 and 492, one finds that from 492 onwards the numbers indicated are one digit too high. From the index to PGM, one can see where the mistake in numeration was made: the magical word in Col. 17, line 22 is indicated as being PGM XII 488 (cf. Index, p. 269, *s.v.* cαβαχαρ), whereas καῦcον in the following line is indicated as being PGM 490 (cf. Index, p. 113, *s.v.* κάειν).

494-95 καὶ το[ῦ δ]αίμων[ο]c τοῦ Βαλ[cάμου] καὶ το[ῦ θεοῦ] | κυ[νο]πρ[ο]cώπου καὶ τῶν cὺν α̣ὐ̣τ̣ῷ θεῶ[ν has to be changed in several places. The transcription offered here is κ ̣ ̣ ο ̣ δαιμων [γ]ενου βαλανιcα̣ το[υ]lκ ̣πρ[ο]cωπου και των c̣υ̣ν̣ α̣υ̣τ̣ω̣ θεω[ν. To begin with, Βαλ[cάμου] does not reflect a reading, but a conjecture of Dieterich's, who actually read βαλανιc̣ with RL.

[5] On the use by correctors of ἄνω and κάτω (i.e. 'see above', 'see below'), often abbreviated ἄν(ω) and κάτ(ω), see Brinkmann's remarks reprinted here on pp. 93-94. For ὡc introducing a variant, see above on line 129 καὶ ὡc. For abbreviated οὕτωc introducing variants, see K. McNamee, *Marginalia and Commentaries in Greek Literary Papyri* (Diss., Duke University, 1977), pp. 90-92, 545-549; cf. eadem, *Abbreviations in Greek Literary Papyri and Ostraca* (BASP Suppl. 3, 1981), pp. 74-75

[6] R. Merkelbach - M. Totti, *Abrasax* I, p. 176.

Before this word]ε̣νου is to be read, not]cτου, and so one must restore [γ]ε̣νοῦ βαλάνιc⟨c⟩α, a phrase which is paralleled twice in the erotic charm Suppl. Mag. 42; cf. lines 13-14 καταναγκάcατε Γοργονίαν, ἣν ἔτεκε Νιλογενία, βληθῆναι Cοφίᾳ, ἣν ἔτεκεν Ἰcάρα, εἰc τὸ βαλανεῖον, καὶ γενοῦ βαλάνιccα (cf. also line 62). In the present charm as well as in Suppl. Mag. 42, a daemon is commanded to become a bath-woman and to inflame the beloved with the heat of the bath waters. The preceding δαίμων, then, is probably nominative-vocative. In 495, κυ[νο]πρ[ο]cώπου cannot be read and restored, for here the writing is larger than usual, and only one letter can have been written between κ and π. If we are dealing with a compound, it well may be ἱερακοπρόcωπος as in PGM XIII 41, 47, 51 etc. If this is correct, 494-5 will have run δ̣αίμων, [γ]ε̣νοῦ βαλάνιc⟨c⟩α. καὶ το[ῦ ἱερα]|κο̣πρ[ο]cώπου καὶ τῶν cὺν αὐτῷ θεῶ[ν κτλ.

SUGGESTIONS TOWARDS THE IMPROVEMENT OF PGM XIII (J 395)

An arrow → meaning 'should be changed to' is used here for the sake of convenience.

54 = 425 ἡμερεςίουc → ἡμερηcίουc with the papyrus and earlier editors. The indication in PGM's *app. cr.* that the papyrus has ημερηcιουc is, therefore, superfluous.

54-5 = 425-6 καὶ τοὺc ἡμερηcίουc ⟨καὶ⟩ τοὺc ἐφεβδοματικούc → καὶ τοὺc ἡμερηcίουc τοὺc ἐφεβδοματικούc, 'the gods of the days of the week'. The insertion of καί, which was proposed by Dieterich and accepted by Preisendanz, is mistaken. Lines 735-6, referred to by Preisendanz *ad loc.*, do not justify the alteration.

60 ἐν τῇ Κλειδί → ἐν τῇ Κλειδί μου with the papyrus. Contrary to what Preisendanz said *ad loc.*, the scribe did not delete μου by expunction. Although the parallel passage has in 432 ἐν τῇ Κλειδί (without μου), one may compare 228-9 ὡc ἀλληγορικῶc ἐν τῇ Κλειδί μου εἶπον. Moses is the supposed first-person narrator in the present work, and here he refers to another of his treatises.

77 *app. cr.* The indication "cε κυ(ριε) P" is misleading. On the papyrus κ̅υ̅ is added in the margin before cε. We have here a normal abbreviation for κύ(ριοc), not (as indicated in PGM, Vol. 2, p. 270) an abbreviation by contraction of a *nomen sacrum*. Cf. below on 742.

132 τὸ ἓν μέροc καὶ τὸ ἕ⟨τερο⟩ν → τὸ ἓν μέροc καὶ τὸ ἓν with the papyrus; see F. Maltomini in: *Miscellanea Payrologica* (Pap. Flor. VII, 1980), p. 175.

143 and 448-9 cὲ ἐνεδοξάcθη → cὲ ἐδοξάcθη with Brinkmann (here p. 96 note); see below on line 772.

150 βιαθιαρβα[ρ]βερβιρcχι → βιαθιαρβα[ρ]βερβι⟦ρ⟧cχι. The last ρ in the line is clearly deleted with a deletion dot above it, and it is precisely this ρ that is absent in the parallel in line 459. When the scribe's deletion is taken into account, the logos in 150-1 has the requisite 36 letters. The remark in PGM *app. cr.* — "nach ανοκ 37 (nicht 36) Buchst." — does not apply.

153 ὄνομα. PGM *app. cr.* fails to mention that the papyrus has here ▭▭.

189-90 περιθέμενοc | ἔcῃ μετ' → περιθέμενοc ἔcῃ | μετ'

204 ἔcεc⟨θ⟩ε → ἔcε⟨c⟩θε

211 and 566 μὴ ἐξέλθῃ → μὴ ἐξέλθῃc with the papyrus and earlier editors (RLD), and so translated by M. Smith in Betz, *Translation* ("do not go out from under your canopy").

250 λέγεται τὰ ὀνόματα → λέγε δὲ τὰ ὀνόματα δ'. Passive λέγεται is not characteristic of the language of these instructions, and the papyrus has λεγετε. RLD regarded this as λέγε τε, but there is no reason why one should not read this as the commonplace λέγε δέ; tau and delta are confused throughout in the papyrus; specifically for τέ in place of δέ, cf. 324, 503, 668, 676, 746, 1021. After λέγε δέ I find τα ▭ δ (i.e. τὰ ὀνόματα δ') slightly preferable to the earlier reading τα ▭ α (i.e. τὰ ὀνόματα). The new reading is also supported by the fact that the scribe does not add letters to symbols to indicate whether they are singular or plural, and in

the case of a symbol for ὄνομα or ὀνόματα, the addition of an alpha would be pointless. We may have here a reference to the four names in lines 746 ff.

266 καὶ ὡς θεῷ διαλαλήςει → καὶ ὡς θεὸς διαλαληθήςῃ virtually with the papyrus, which differs only in that the future passive is spelled διαλαληθηcε. The meaning is 'and you will be spoken of as a god'. For this sense of the verb in the passive, cf. Bauer, *Wörterbuch*, *s.v.* On the concept of the magician as divine man in the magical papyri, see A.Abt, *Die Apologie des Apuleius und die antike Zauberei* (RVV IV.2, 1908), pp. 109-11. A survey of and extensive bibliography on the Greco-Roman concept of the divinity of seers, prophets, miracle-workers, poets etc. is given by H.D. Betz in *RAC* 12, coll. 234-312 *s.v.* 'Gottmensch II'.

287 διαπεράςεις ‖ ⟨εἰς⟩ τὸ πέρα → διαπερᾶ̣ς εἰς ‖ τὸ πέρα⟨ν⟩

289-90 κλῦθί μοι, ὁ Χριςτός, ἐν βαςάνοις, βοήθηςον ἐν ἀνάγκαις, ἐλε̣ήμων ἐν ὥραις βιαίοις. Here ὁ Χριςτός → ὁ χρηςτός with the papyrus and earlier editors. Already Dieterich warned, "man ist nicht befugt, Χριςτός zu schreiben. χρηςτός kommt so öfter vor." Jewish rather than specifically Christian influence pervades so much of this syncretistic text; for the present passage, cf. e.g. LXX Ps. 85, 5 ὅτι cύ, κύριε, χρηςτὸς - - - καὶ πολυέλεος; cf. also SB I 158, 1 πρὸς 'Αμενώθην χρηςτὸν θεόν; other references in Bauer, *Wörterbuch*, *s.v.* χρηςτός 1 b β. PGM's Χριςτός led to the incorrect assumption that the present passage contains the only Christian interpolation in the text (see Betz, *Translation*, p. 180 note 68).

295 ἅμμ[α] → ἅμμ⟨α⟩

297 ἔργον ἔργων εὑρήματος θεοῦ → ἔργον {εργον} εὑρήματος θεοῦ with Dieterich. The papyrus has εργον· εργον ευρεματος θεου.

320 γυναῖκας οὐ → γυναῖκά cου as suggested by M. Smith in Betz, *Translation*, p. 181 note 73.

398 *app. cr.*: add "τρωπηc P".

411 ἐνεάμορφον → ἐν⟨ν⟩εάμορφον

425-6: see above on 54 and 54-55.

433-4 ν|ίτρον → νί|τρον

445 c' → cε with the papyrus.

448-9: see above on 143.

500-501 κόcμῳ.' καὶ → κόcμῳ.' | καὶ

522-26 run as follows: καὶ ἐγένετο |[523] Ψυχή, καὶ πάντα ἐκινήθη. ὁ δὲ θεὸς ἔφη· 'πάντα |[524] κινήςεις, καὶ πάντα ἱλαρυνθήςεται |[525] 'Ερμοῦ cε ὁδηγοῦντος.' τοῦτ' εἰπόντος τοῦ θεοῦ πάντα |[526] ἐκινήθη καὶ ἐπνευματώθη ἀκατα⟨c⟩-χέτως. The occurrence of εκεινηθη in 523 appears to be too early; its premature presence here can be explained if one examines the text on the papyrus:

522 και εγενετο
523 ψυχη και παντα εκεινηθη· ο δε θεος εφη παντα
524 κινηcειc και παντα ⟦εκεινηθη⟧ ϊλαρυνθηcεται
525 ερμου cε οδηγουντος· τουτ ειποντος του θεου παντα
526 εκεινηθη και επνευματωθη ακαταχετως

In 525-6, παντα εκεινηθη is in its correct place. In 524 the scribe himself deleted εκεινηθη after παντα. I suspect that παντα εκινηθη was once in the margin, correcting 525-6, and that it incorrectly entered the text not only in 524, but also in 523, which I would print Ψυχὴ καὶ πάντα {εκεινηθη} ⟨ ⟩. This allows for the possibility that the passage diverged from Recension A in line 191-2 ἕβδομον κακχάcοντοc τοῦ θεοῦ ἐγένετο Ψυχή, καὶ κακχάζων ἐδάκρυcε. Recension A, in turn, invites one to consider for 523 the possibility of Ψυχή, καὶ {παντα εκεινηθη} ⟨κακχάζων ἐδάκρυcε} or something similar.

566. See 211.

582 ἐπικαλοῦμα⟨ι⟩ → ἐπικαλοῦμαι (cf. 588).

585 Ανογ → Αναγ with the papyrus and RLD.

588 ἐπικαλοῦμαι → ἐπικαλοῦμα⟨ι⟩ (cf. 582).

599 |ιχιχι⟨χι⟩ → |⟨ι⟩χιχι⟨χι⟩, for at the beginning of the line the papyrus has χιχι only.

731 ἐγέγραπτο is given for an abbreviation where we would give ἐγέγρ(απτο). Preisendanz actually read εχεγρ or ερεγρ, but neither reading of the second letter is certain. Both the second and the third letter, furthermore, appear to have been deleted by the scribe. If ε⟦ . ε⟧γρ is correct (as I think it is), the expected ἐγρ(άφη) can be read.

742 *app. cr.* κ̅υ̅ → κῦ with the papyrus. PGM, Vol. 2, p. 270, mistakenly indicates that we have here an abbreviation by contraction of a *nomen sacrum*; cf. above on 77.

756 ff. The reference to my treatment of these lines made by Merkelbach - Totti, *Abrasax* I, p. 211, no longer applies, as I have withdrawn the suggestion that they refer to.

765-6 ὄνομα πτο|ῶνται → ὄνομα | πτοῶνται. The papyrus has ō ⟦πτο⟧|πτοωνται, not ō πτο|πτοωνται as indicated in PGM *app. cr.*

772 τὸ δὲ περὶ c⟨ὲ⟩ ὃν ὕδωρ → τὸ δὲ περί cε ὕδωρ. The papyrus has cov, which is best explained as a miscopying of cεν = cε. Brinkmann (here p. 96 note) correctly recognized céν for cέ in coll. 4, 17 and 11, 7. On céν for cé, see now Gignac, *Grammar* II, pp. 164-5.

791 εἰcέλθοιc → εἴcελθε εἰc virtually with the papyrus (ειcελθειc, third ε corrected from θ). The optative of wish is not frequently attested in the magical papyri (see Suppl. Mag. 2, 17-18 comm.).

795 ὃ ἐ⟨ὰν⟩ εἴπω →. ὃ ἐ⟨ὰ⟩ν εἴπω or ὃ ἂν εἴπω. The papyrus has ο εν ειπω. The correction ὃ ἐ⟨ὰ⟩ν εἴπω was proposed by Brinkmann (here p. 96 note), and PGM's ἐ⟨ὰν⟩ is probably a printing error.

797 *app. cr.* The papyrus has cαραξ, not cδραξ; cf. Brinkmann (here p. 96 note).

831 ἄκρων ποδῶν → ἀκροπόδων virtually with the papyrus (ακροποδον). LSJ, *s.v.* ἀκρόπους, correctly refers to the present passage for the compound.

856 πρὸc ἀπηλιώτην → πρὸc τὸν ἀπηλιώτην with earlier editors (RLD). The papyrus has προ τη απυλιωτην, and it would seem that τη was miscopied from τον. Cf. the preceding 855 ὁ ἀπηλιώτης and the following 858 ὁ νότοc – πρὸc τὸν νότον, 860-1 ὁ λίψ – πρὸν τὸν (ταc Pap.) λίβα, 862-3 ὁ βορέαc – πρὸc τὸν

βορέαν. The way a scribe such as the present one might write TON (with a small omicron tucked under the tau) could easily have been miscopied as TH.

859 *app. cr.* lacks an indication that papyrus has seven epsilons, not the expected six.

876 ἐπικαλοῦμαί I cε I → ἐπικαλοῦμαί cε I

896 and 899. In 896 PGM gives ἐν τελετῇ, where one would welcome the anaphoric article τῇ. In 899 the papyrus has εν τη το αργυρω, where the τῇ following ἐν is superfluous (PGM solves this latter difficulty by printing ἐν δὲ τῷ ἀργυρῷ). But if one assumes a falsely understood marginal ἐν τῇ, two problems can be solved simultaneously. In the spirit of Brinkmann I would print 896 ἐν ⟨τῇ⟩ τελετῇ and 899 ἐν {τῇ} τῷ ἀργυρῷ. The article τῇ was probably omitted in 896 by haplography: the papyrus has εν τηλητη.

916 αγγαcτα → αγγαcγα with the papyrus.

993 'Αμοῦν 'Ιααααω → αμουνι ααααω. The first of these words is probably Coptic 'come to me'; see Merkelbach - Totti, *Abraxas* I, p. 202; cf. Suppl. Mag. 6, 3 comm.

996-7 θαθιερ θαινον αβου, ὁ μέγας, μέγας 'Αιών, I θεέ, (κύ)ρ(ιο)c Αἰών. In 997 the papyrus has θεερcαιων. The abbreviation (κύ)ρ(ιο)c proposed by Preisendanz is unthinkable, and if he meant ⟨κύ⟩ρ⟨ιο⟩c, this is unwarrantedly audacious. Nor is (χε)ρcαίων or ⟨χε⟩ρcαίων justified (cf. PGM *app. cr.*). One might consider θεέ {ρc} Αἰών, which produces good enough sense, but leaves ρc unexplained. However, there is no compelling reason why Greek words have to be recovered here, and the sequence of letters θεερcαιων is strikingly similar to the series θιερθαινον which one finds in the magical words in the previous line. Either in 997 the charm reverts to magical words that sound like the ones in 996, or a scribe inserted in 997 a variant of the magical words in 996.

1012 καβόνιον → χαβωνίων with the papyrus and Merkelbach - Totti (*Abraxas* I, pp. 214, 220-1). The rare diminutive χαβώνιον[1] denotes a kind of pastry. It is based on χαυών, also spelled χαβών, which in the Septuagint transliterates *kwn* (כַּוָּן); cf. E. Hatch - H.A. Redpath, *A Concordance to the Septuagint* II, p. 1456 *s.v.* χαυών; LSJ *s.v.* It is not related to κάβοc 'corn measure' from Hebrew *kb* (קַב); see Hatch - Redpath, *op. cit.*, p. 698; LSJ, *s.v.*

1015 βαλὼν → λαβὼν with the papyrus and earlier editors. λαβὼν μὲν γάλα, οἶνον, ὕδωρ ἐν καίνῳ ἀγγείῳ is normal recipe Greek; cf. e.g. PGM I 20 λαβὼν τὸ γάλα cὺν τῷ μέλιτι ἀπόπιε; III 410 λαβὼν γάλ[α] βόειον.

1072 [καλῶ cε] → ⟨καλῶ cε⟩

[1] Cf. χαβόνιν in SB X 10739, 6 as revised by R. Pintaudi, *ZPE* 58 (1985) 91-92.

P. LEID. J 384 (= PGM XII)

PHOTOGRAPHS AND TRANSCRIPTION

1 πραξις (1)
εχων κ ρια . . . . . ν νυκτος κ[αι λαβ]ων ξιφο[ς λεγε] θερ . . χθαβοιαχαφ
μαρμιλυχα βερθιωχ χαρηλ[. .]βα . . . θαχ δηρφο φιρβο ςωθωραι
φαυξαιωα μειλιχιαβαιεια καρςε ρευθρα [.] νρουχ ζερφρηχ
5 ψερφερχω θνερβηχ χαρχερβερ υειχ φχυαρ 'πα[.]χα μιλχιθερ (5)
χληλωρ φαχιλερ μαζ μαχαιριωχ ταυτα ςου [ε]ιποντ[ο]ς ελευςεται κορη
λαμπαδας εχουςα ςυ λεγε φερθελιλωχ πειυ . και ςβεςθηςονται αυτη[ς]
ηδαδας και παραςτηςεται ςοι λυπουμενη και μεμφομενη ςυ λεγε ποιηςō
τοδε και αψω ςου τας λαμπαδας αν επ ονειροπομπειαν αψεις κεπ^τ^αιται
10 αν επι φονον πεμπης δος [α]υτη το ξιφος και δ[ω]ςει ςοι τας λαμπαδας και (10)
ελευςεται ημαγμενον εχο[υς]α το ξιφος ςυ ειπε [α]υ[τη] προςκειςθαι τας λαμ
παδας και αναφθηςονται κ[α]ι φευξεται [.] . . . . . [.]τ . . α λεγε μωζηρφερ
ταχχαψ φυλακτηριον οιςει[ς] αψας δεξια [χ]ειρι κα[ι] αρι[ς]τερα χειρι νυκτος

π[α]ρεδρος ερως

15 ερωτος τελετη και αφιερω[ς]ις και κ[α]ταςκευη πο[ι]ει δε πραξε[ι]ς ταυτας και ονειρ[ο] (15)
πομπειαν αγρυπνιαν ποιει δ[.] διαλλαςςει κ[ακ]οδαιμο[ν .]ς [ε]αν ορθως αυτω χρηςη κα[ι]
αγνως εςτιν παρεχων παςαν πραξιν λαβων [κηρο]ν [τ]υρρηνικ[ο]ν μειξον αυτω π[αν]
γενος αρωματων και πο[ι]ηςον ερωτα δακτυλων ο[κ]τω μηκος λαμπαδηφορο[ν]
εχοντα βαςιν μακραν εκδεξ . . ν δε τ . . . . ν τη [αριςτε]ρα χερι κρατειτω τοξο[ν]
20 και βελος και ψυχην τελεςον [τ]αυτον ως ερωτα παντ[α ταυτ]α αποτ[ε]λεςας αφιερωςο[ν] (20)
ημερας γ̅ παραθηςεις δε αυτω παντοια γενη καρ[πων νεω]ν ποπ[α]να τε ζ̅ ςτροβ[ι]
λους ζ̅ τραγηματων παν γενος λυχνους αμιλτω[τους .] και [. . .]α μικρα αιπα[ ]
τα πινακιδας τοξα μηλα φοινικια κρατηρα κεκρ[α]μενον οινομελιτι ειτα τα[υτα]
ποιηςας και παραθεις ως υποκειται ποιηςας τον ερωτα επι τρ[α]πεζης πανκαρ
25 που εχουςης τους ζ̅ λυχνους καιομενους λευκω ελαιω και οςα προςγεγραπται (25)
ωςδε πιθειν τον θαυμαςτον ερωτα πρωτη μεν ημερα επιθεντος ςου αυτον
επι την τραπεζαν και κοςμηςαντος ως προγεγραπται γραφω δε ςοι κατ ειδος
αφθονως ιν ειδης και μηδεν επιζητης ποιηςον βωμον καθαρον τουτ εςτιν
πλινθους ωμας δυο λαβων ποιηςον κερατα δ̅ εφ οις [επ]ι[τι]θης ξυλα καρπιμα
30 και λαβων τη πρωτη ημερα αποπνειξον ζωα ζ̅ ενα αλε[κτ]ρυονα ορτυγα (30)
βαςιλειςκον περιςτεραν τρυγονα και τα ενπεςοντα ςοι . . . ςςα δυο ταυτα
δε παντα μη θυε αλλα κατεχων εις τη̅ χειραν αποπν[ι]ξεις αμα προςφερω⌊ν⌋
τω ερωτι μεχρις ου εκαςτον των ζωων αποπνιγη και τ[ο] πν[ευ]μα αυτων εις α⌊υ⌋
τον ελθη και τοτε επιτιθει εις τον βωμον τα αποπ[νι]γ[εν]τα [ς]υν αρωμαςιν πα⌊ν⌋
35 τοιοις τη δε δευτερα ημερα νοςςακιον αρρενικον π[ρο]ς τον ερωτα αποπνειγ⌊ε⌋ (35)
και ολοκαυςτει τη δε γ̅ ημερα ετερον νοςςακιον β . . . . ποιων την τελε⌊τη̅⌋
καταφαγε τον νεοςςον μονος αλλος δε μηδεις ςυν[ες]τω [ταυ]τ ουν ποιηςας
αγνως και καθαρως παντων επιτευξη λογ[ος πρωτ]ος λεγομενος
ςυν τη θυςια (39)

1 πραξις : πραξ[ις] RLDPr || **2** κ ρια . . . . ν*: κ could be ις; between κ and ρ, perhaps two letters; ι could be η; after α, perhaps μ ξιφο[ς λεγε] : ξιφο[ς . . . . . .] LR : ξιφο[ς λεγε] . . D : ξιφο[ς λεγ]αι (r. λέγε) Pr θερ . . χ- : θερμοχ- Pr : θε . ωχ- D and sim. RL || **3** βα . . . θαχ (between α and θ, two or three missing letters, no more) : βαιοχ[. .]θαχ Pr : βαρχ . . θαχ D and sim. RL || **4** μειλιχ- : ε ex corr. || **5** 'πα[.]χα or 'γα[.]χα || **8** ε δαδαις : αι δ[.]δαις Pr : η δαδαις D : η [δα]δαις RL || **9** αν επ ονειροπομπειαν αψεις* : ει [δ]ε ονειροπομπει αναψεις Pr : α . . εον . ιρ . π . . πε . αναψεις D (proposing α[ν δ]ε ον[ε]ιρ[ο]πομπ[ης]) : αι . εον . ρ . π . . πειανα . ρεις RL || **12** [.] . . . . . [.]τ . α* : . . . λ . . . . . . η RL : [ἀπο]λ[υομένη] D : [.]οιων τατε Pr, proposing [π]οιῶν τάδε || **15-16** πο[ι]ει δε πραξε[ι]ς - - - ποιει δ[.]* || **16** ποιει δ[.]* : ποιεῖ κ[α]ὶ PrRLD διαλλαςςει: the expected απαλλαςςει cannot be read; although the first letter could easily be α, the second is a longish vertical that cannot be read as π or a part of π || **17** παρεχων* : γαρ εχων RLDPr || **19** εκδεξ . . ν δε τ . . . . ν τη [αριςτε]ρα χερι* : εκδεξ[ι]ν [τ]ωνδε [η δε αριςτε]ρα χειρ Pr : εκ δεξιων δε τ . ν εντ . . . . ει . RL : εκ δεξιων δε τ[ει]ν[ω]ν τ[η αριςτερα] χειρι D || **20** παντ[α* : π[άντα Pr || **23-27** ειτα τα[υτα] - - - ως προγεγραπται* || **24** υποκειται: the expected προκειται cannot be read; the υ is certain, and the next stroke is best explained as the left side of π || **29** δυο* : δυ ex corr. || **31** ταυτα corr. from απαντα || **35** αποπνειγ[ε] with RLD: the itacist spelling is not noted in PGM app. cr. || **36** β . . . .* with RL : βω[μ]ῷ εἰς[θές] Pr, noting nothing in the app. cr. : β . αι . . D, proposing β[ί]αι[ον] || **38** παντων* with RLD : ἁπάντων Pr || **39** θυςια: θ or θυ ex corr.

1 επικαλουμε cαι τον εν τη καλη κοιτη τ[ον] εν τω ποθεινω οικω διακονηcον μοι (40)
και α[π]αγγειλον αει οτι αν cοι ειπω και οπου [α]ν αποcτελλω παρομοιουμενοc θεω
η θεα οιω αν cεβωνται οι ανδρεc και οι γυναι[κ]εc λεγων παντα τα ϋπογραφομενα
η λεγομενα και παρατιθεμενα cοι ταχυ εφθαcε το πυρ επι τα ειδωλα τα μεγιcτα
5 και κατεπειεν ο ουρανοc τον κυκλον μη [γ]εινωcκον του αγειου κανθαρου λε
[γο]μενου φωρει κανθαροc ο πτεροφυηc μεcουρανων τυρανvοc απεκεφα (45)
λιcθη εμελιcθη το μεγιcτον και ενδοξον αυτου κατεχρηcατο και δεcποτην του ου
ουρανου cυνκατακλειcαντεc ηλλαξαν ωc cυ διακονηcειc μοι προc ουc θελω
ανδραc και γυναικαc ηκε μοι ο δεcποτηc του ουρανου επιλαμπων τη οικου
10 μενη διακονηcον μοι ειτε (προc) ανδραc και γυναικαc μεικρουc τε και μεγαλουc και
επανα`γ΄καcηc αει αυτουc ποιειν παντα τα γεγραμμενα υπ εμου ηκαι μοι ο δεcπο (50)
τηc των μορφων και διεγειρον μοι ανδραc και γυναικαc αναγκαcον αυτουc
ποιηcαι τηcαει ειcχυρα και κρατα δυναμι παντα τα ϋπ εμου γραφομενα τε και
λεγομενα ειcαφcαντα φουρει αρναι· . . cυν φρεω ριωβαιοcοι cυ . . ατεφθο
15 αωρελ αδωναι και ποιηcον αυτουc ενφοβουc ιντρομουc εποτημενουc ταc φρεναc
ποι . c . . αc δια τον φοβον cου και ποιει τω Δ απαντα τα προγεγραμμενα εαν δε μου (55)
παρακουcηc κα[τα]καηcεται ο κυκλοc κ[α]ι cκοτοc εcται καθ ολην την οικουμενην
και ο κανθαροc κ[ατα]βηcεται εωc ποιηcειc μοι παντα οcα γραφω η λεγω αcπαραβατωc
ηδη ηδη ταχυ τα[χυ .] δευτεροc λεγομενοc επι τηc θυcιαc εξορκιζω cε κατα του κατε
20 χοντοc τον κ[ο]cμ[ο]ν και ποιηcαντ[ο]c τα τεccαρα θεμελια και μειξαντοc τουc δ̅
ανεμουc cυ ει ο αcτραπτων cυ ει ο βροντων cυ ει ο cιων cυ ει ο παντα cτρεψαc και (60)
επανορθωcαc παλιν ποιηcον cτρεφεcθαι [π]αν[τ]αc ανθρωπουc τε και `παcαc΄ γυναικαc
ευπ . θωc μου του Δ η τηc Δ αφ ηc αν παραιτω ωρα εν τουτω τω παραψιμω κατ επιτα
γην του υψιcτου θεου ιαω αδωνεαι αβλαθαναλβα cυ ει ο περιεχων ταc χαριταc
25 εν τη κορυφη λαμψρη cυ ει ο εχων εν τη δεξια την αναγκην βελτεπιαχ cυ ει ο δια
λυων και δεcμευων cεμεcιελαμπεκριφ επακουcον μου απο τηc cημερον (65)
ημεραc και ειc τον απαντα χρονον λογοc γ̅ επι τηc αυτηc θυcιαc
επικαλουμαι υμαc θεοι ουρανιοι και επιγιοι και αεροι και επιχθονιοι και εξορκι
ζω κατα του κατεχοντοc τα δ̅ θεμελια επιτελεcαι μοι τω Δ η τη Δ τοδε πραγμα
30 και δουναι μοι χαριν ηδυγλωccιαν επ[αφ]ροδιcιαν προc πανταc ανθρωπουc
και παcαc γυναικαc ταc υπο την κτιcι[ν] ινα μοι ωcι υποτεταγμενοι ειc παντα (70)
οcα εαν θελω οτι δουλοc ειμι του υψιcτου θεου του κατεχοντο[c] τον κοcμον και παντο
κρ[α]τοροc μαρμαριωθ λαcιμιωληθ αραα . c . cηβαρβ[α]ωθ νοω αωι ωιηρ αρτημα
ααααα ηηηηηη ωωωωωωω παραγγελλ[ω τω] επι τουτων τεταγμε[νω]ν λεγομενω (73)

5 [γ]ειvωcκων: ω corr. from ο ‖ 7 κατεχρηcατο: τ added later ‖ 10 ειτε: first ε ex corr. ‖ 11 γεγραμμενα or perhaps εγραμμενα (for the latter, cf. Gignac, *Grammar*, pp. 243-4) ‖ 14 αρναι· . . cυν : αρναι·cυν Pr : αρνου . . cυν RLD ‖ 15 ιντρομουc: ν ex corr. ‖ 15-16 εποτημενουc ταc φρεναc* ‖ 16 ποι . c . . αc* or τοι . c . . αc : ἐνοχλ[ήc]αc Pr : πο[ιήc]αc RLD ‖ 19 ηδη ταχυ τα[χυ .]* δευτεροc : ἤδη ταχὺ [τ]α[χ]ύ. [λόγοc] δευτεροc Pr : ἤδη ταχὺ. [λόγοc] δευτεροc RLD ‖ 23 ευπ . θωc* : ἐπὶ [ἔ]ρωτα Pr : . . πι[c]θωc RL proposing εὐπίcτωc ωρα : ωρ Pr proposing ωρ(αc) παραψιμω* ‖ 24 αβλαθαναλβα* : αβλα[ν]αθαναλβα Pr : αβ[λα]ναθαναλβα RLD ‖ 26 απο: π ex corr. ‖ 31 κτιcι[ν] ινα or, perhaps better, κτιcιννα by a kind of haplography.

1 ερωτι ο[τ]ι ειμι θεος θεων απαντων ιαων cαβαωθ αδωναι αβ̣[ραcα]ξ ιαραββαι (74)

θο̣υριω θ̣α̣ν̣ακερμηφ πανχονα̣ψ̣ ουτοι λογοι γεινωνται και λε[γωνται] επι ταc γ̅

ημεραc ινα αποδοιc τ̣ην πραξιν τελεωc

οταν δε πεμπειc ειc α χρηζειc λεγε μονον τουτον τον λογον α̣ρ̣α̣c̣ τον ερωτα απο τηc

5 τραπεζηc και τα παρακειμενα αυ[τω] γραφε εν πιττακιδιω περι ων χρηζειc λογοc (78)

γραφομενοc εν τω πιττακιω cυ ει ο νηπιοc ο ζων θεοc ο εχων μορφην cαμμ̣ωθ

cαβαωθ ταβαωθ cορφη cεουρφουθ μουιcιcρω cαλαμα γωυθεθειμη ουcου

cειρι εcειηεφθανουθ cαθαη ιcιc αχθι εφανουν βιβιου βιβιου cφη cφη αcηηα

ηι πορε̣υ̣θειc παντα τοπον και πα̣c̣α̣ν οικιαν οπου cε πεμπω̣ π̣ροc τον △ τηc △

10 η την △ τηc △ παρομοιωθειc ω cε̣βεται θεω η θεα αναγκαcον α̣υ̣τ̣ον ποιηcαι τοδε (83)

πραγμα οcα θελειc γραφε ειc το πιτ̣[τ]ακιον cυν τω λογω ε̣γερθειc εκθαμβοc ορκιζω cε

κατα του και κατ επιτιμου ονοματοc ω η παcα κτιcιc υ̣ποκειτ̣α̣ι παcιχθων ιβαρβου

θαρακτ̣ι̣θεανωβαβουθακωχεδαμην γενεcθω τοδε πραγμα ηδη β

ερυθρα θαλαccηc ο εκ των δ̅ μερων τουc ανεμουc cυνcειων ο επι του λωτου

15 καθημενοc και λαμπυριδων τ̣ην ολην οικουμενην καθεζη γαρ κορκοδειλο (88)

ειδηc εν δε τ̣ο̣ιc προc νοτον μερεc̣[ι]ν δρακων ει πτεροειδηc ωc γαρ εφυc τη αλη

θεια ιωιωβαρβαρ αδωναι κομβαλιωψ θωβ ιαρμιωουθ ηκε μ̣οι κλυθι μου

επι τηνδε την χρειαν επι τηνδε̣ την πραξιν μεγιcτε αρcαμωc[ι] μουχαλ̣ινου

χα αρ̣παξ αδωνεαι εγω ειμ̣ι̣ ω̣ cυνηντηcαc υπο το ϊερον ο̣ρ̣ο̣c και εδωρηcω

20 την του̣ μεγιcτου ονcου γνωcιν ην και τηρηcω αγνωc μηδενι μεταδιδουc (93)

ει μι τ̣ο̣ιc cοιc cυνμυcταιc ειc ταc̣ cαc ιεραc τελεταc ιαρβαθ̣α̣τ̣ρ̣α̣ μνηψιβαω

χνημεωψ ελθε και παραcτα ειc̣ [τ]ηνδε την χρειαν και cυνεργηcον

[τ]α παρα ημεριου

τυφωνιου μελανοc γραφη ανε[μω]νηc φλωγειτιδοc χυλου κ̣ι̣ναραc cπερματοc

25 ακανθ̣η̣c αιγυπτιαc μιλ̣του τυφωνοc αcβεcτου κονιαc αρτεμ̣[ιc]ιαc μονοκλωνου (98)

κομεωc ομβριου εργαcτηριον ευπραccειν

επι ωο̣υ ορνιθοc αρcενικου επιγραφε και κατορυξον προc τον ουδον c̣[υ] ει το ωον χφυριc

ωον ο ε̣cτιν χορβαι cαναχαρcω αμουν F̄ cφη· β· γακνεφη cιεθω F̄ ν̣ουcι· β· cυ ει το ωο̅

τ̣ο̣ αγειον απο λοχιαc ο εcτιν cελβιουc βαθινι φνιηιαπο αωη αωη αω[ι] αωια φιαεα θωυ

30 ιαω cελ̣ε̣τ̣ηα θεωηφ οξυμβρηη ηη ιι η δε ευχη του ωου ο μεγαc θεο[c] δο[c] μοι χαριν πραξιν (103)

και τοπω τουτω οπου κειται το ωον εν ω οικω πραγματευομαι εγω διεȷ c̣ε̣λ̣ε̣πηλ θεωηφ και

δαιμων αγαθο̣c̣ επαποcτειλον τ̣ωδε τω τοπω παcαν πραξιν και ευ[π]οριαν καθημερι

νην cυ ει̣ η εργαcια μου cυ ει ο μεγαc αμμων ο εν ουρανω να[ι κυρι]ε βοηθηcον μοι (106)

4 λογον: λ ex corr. || **27** καικατορυξον: ι added later c̣[υ] ει* with RLD : [ὅ]που εἶ Pr : to the upper left of c̣[υ] are some misplaced fibers with ink on them ωον: ω corr. from ο || **30** δο[c] μοι* with RLD : δὸ[c ἐ]μοί Pr || **31** οπου: π corr. from μ ? || **33** να[ι κυρι]ε* : να[ίων, ἐλθ]έ PrD : ν . . . . ε RL

1 ονειροπομ[πο]ς αγαθοκλευς (107)
λαβων αιλουρον ολομελανα βιοθ[αν]ατον π[ο]ιηcας πιττακιον και ενγραψας ζζ
τα υποκειμενα και ον θελεις ον[ειροπ]ομπειcαι και ενθες εις το cτομα του αιλουρου
κειμι κειμι εγω ειμι ο μεγας ο εν [cτομα]τι κειμενος μομμου θωθ νανουμβρη
5 χαριχακενυρωπααρμιαθ ον το αγιον ιαουιεηιεου αηωιοων επανω του ουρανου (111)
ανεχευμευ νεννανα cεννανα αβλαναθαν[α]λβα ακραμμαχαμαρι αβραcιλουα
λαμψωρει εει ειει αωηηω θηουρις ωα επειδευ επεργαβριων αμη χρηματιcον
τω Δ περι τουδε ο δε επαναγκος δευρο μοι Δ πηξας τονυφτη cεαυτου δυνα
μι ο κυριευων του παντος κοcμου ο [π]υρινος ∅ ⚹ χρηματιcον τω Δ θαρθαρ θαμαρα⟦ρα⟧θαθα
10 μομμομ θαναβωθ απρανου βαμαληα χρηθ ναβουcουληθ ρομβρου θαραηλ (116)
αλβαναβρωχρηξ αβραναζουχηλ επακουcον μου οτι μελλω το μεγα ονο λε
γειν αωθ ον πας ∅ προcκυνει και πας δαιμων φρειccει ο πας αγγελος τα επιτας
cομενα αποι θειον ο cοι (νομα) το κατα των ζ α ε η ι ο υ ω ιαυωηεαωουεηωια ειρηκα cου
το ονομα ενδοξον ονομα το κατα παντων των χρειων ⚹ τω Δ κυβρε θεε το □
15 τουτο τουτω και απολλωβηξ εχρατο ονειροπομπος (121)
ζμεινιος τεντυρειτου λαβων οθονιον καθαρ[ο]ν και κατοcτανην (α) ⚵ γραψον εις αυ
το ανθρωποειδες ζωδιον και πτερα δ κ[αι] την μεν λαιαν χειρα εκτετακοτα
cυν τοις αριcτεροις πτεροις β την δε ετεραν κεκαμμενην εχοντ[α] και τους δακτυ
λους κεκαμμενους επι δε της κεφαλης βαcιλει[ο]ν και ϊματιον περ[ι] τον πηχυν
20 και β ελικες εν τω ιματιω επανω δε της κεφαλης κερατα ταυρου προς δε τοις (126)
γλουτοις πυγην ορνεου πτερωτην εcτω δε η χειρ δεξια προcεχουcα τω cτομαχω
κεκλειcμενη εφ εκατερου δε του cφυρου ξιφος εκτεταγμενον ενγραφε εις το ρακος
και τα εξ □ του θεου και οcα θελεις ιδειν τον και ως χαλαμανδριωφιλεαρζηωθρε
δαφνιωερθιβελνιν ρυθαδνικωψαμμεριχ υμιν λεγω και cυ μεγα δυναμενωι δαι
25 μον πορευθητι εις τον τουδε οικον και λεγε αυτω ταδε ειτα λαβων αμιλτωτον λυ (131)
χνον αγραφον ενλυχνιαcας πληcον κεδρια αψας τε επιλεγε τα υποκειμενα
□ γ ∅ χαλαμανδριωφ ιδεαρυωθ θρεδαφνιω ερθαβεανιγ ρυθανικω ψαμμο
ριχ τα αγια του ∅ □ επακουcατε μου και cυ αγαθε δαιμων ου κρατος μεγιcτον εcτιν
εν θεοις επακουcον μου πορευθεις προς τον Δ εις τον οικον αυτου οπου κοιμαται
30 εις τον κοιτωνα αυτου και παραcταθητι αυτω φοβερος τρομερος μετα των του ∅ (136)
μεγαλων και κραταιων □ και λεγε αυτω ταδε εξορκιζω cε την δυναμιν cου τον
μεγαν ∅ cηιθ την ωραν εν η ετεχθης μεγας θεος τον ⚹ το ν[υ]ν θεον τα τξε ονοματα
του μεγαλου θεου πορευθηναι προς τον Δ εν τη αρτι ☉ εν τη αρτι νυκτι και λεγειν αυτω
κατ οναρ ταδε εαν με παρακουcης και μη πορευθης [π]ρος τον Δ ερω τω μεγαλω θεω (140)

3 ον[ειροπ]ομπειcαι* or -πεcαι : -πεῦcαι Pr || **10** βαμαληα with RLD or βαμεληα : βαμβαληα Pr χρηθ or χρειθ || **12-13** τα επιταc|cομενα αποι* || **14** ονομα ενδοξον ονομα* □: not indicated in PGM app. cr. || **21** πυγην: υ corr. from η || **22-31** ενγραφε - - - και λεγε αυτω ταδε*

1 κ[αι ο] βειcαc cε κατακοψει μελειcτι και τα κρατεα cου δωcει φαγε[ι]ν (141)
τω ψωριωντι κυ[νι] τω εν ταιc κοπριαιc καθημενω δια τουτο επακ[ουc]ο̅
μ[ο]υ ηδη β ταχυ β ινα μη αναγκαcθω ταυτα εκ δευτερου λεγειν
ονειρου αιτηcειc
5 ακριβηc ειc παντα γραψον ειc βυccινον ρακοc αιματι ορτυγιου θεον ε[ρ]μη̅ (145)
ορ[θ]ον ιβιοπροcοπον επιτα ζ̅ζ̅ επιγραψον και το ονομα και επιλεγε τον [λο]γο̅
ερχου μοι οδηεψα ο εχων την εξουcιαν επικαλουμε cαι τον επι των [π]νευ
ματων τεταγμενων θεον ∅ δειξαι μοι καθ υπνουc τοδε εξορκιζω [cε]
κατα του πατροc cου οcιριδοc και ιcιδοc τηc μητροc cου δειξαι μοι τη[ν] μορ
10 φην cου και περι ων θελω ✱ονομα cοι ηιιουαθι ψρηπνουα (150)
νερτηρ διοχαcβαρα ζαραχω ον καλουcι βαλχαμ χρηματιcον περι τουδε περ[ι π]αν
των πυνθανω
θειομαντιον ονομα μεγα επικαλεcη επι μεγαληc αναγκηc επι κεφαλικω[ν] και αναγ
καιων πραγματων ει μη cεαυτον αιτιαcιc προcεπιλεγε γ̅ το ιαω ειτα του θεου [ο]νομα
15 το μεγα επικαλουμε cαι φθαρα φθαιη φθαουν εμηχαερωχθ βαρωχθορχθα (155)
θωμχαιεουχ αρχανδαβαρ ωεαεωυνηωχ ηραων ηλωφβομ φθα αθαβραχια
αβριαcωθ βαρβαρβελωχα βαρβαιαωχ γενεcθω βαπλαμη αυγη αβλαναθαναλβα
αβραcιαουα ακραμμαχαμαρει θωθωρ αθωωπω ειcελθε κυριε και χραματιcον
ειcελευcεται θεοc οφεοπροcοποc και αποκριθηcεται cοι οταν δε απολυc[η]c επιθυε
20 γηραc οφεωc εαν δε θεληc δεικτ[ι]κον τι ποιηcαι και αυτοc απολυθηναι κι[ν]δυνου c (160)
ταc προc τη θυρα λεγε τον λογον και ειπων εκπορευcη προcθειc λυθητω[c]αν οι δεcμοι
του ♃ και ανυγητωcαν αυτω αι θυραι και μηδειc αυτον θεαcαcθω τεκμηριο[ν] δε οτι
γεινε[τ]αι δηcαc δε τινα πανδετην ενκλειcον ειc οικον και εξω cταc λε[γε] τον λογο̅
εξακ[ι]c η επτακιc ουτωc επικαλουμαι υμαc του μεγαλου θεου τη μ[ε]γαλη φωνη
25 αιcαρ αιωθ ουαιγνωρ μαρcαβωουτωρθθλαβαθερμου χοωρθεν μαναχθωρφπεχρηφ (165)
ταωφ[ ]ωθθωχοθαρωχ βαλεθανχεβρωουθαcταδωναι αρμιωθ επαν του[τ]ον τον
λογον [. . . .] και λυθη επιλεγε ταυτα ινα αι θυραι ανυγωcιν οχλοβαραχω λαιλαμ δαρι
δαμδ[. . .]μδαρδαραμπτου ιαρθα ιερβαδιερβα βαρωθα θιαρβα αρβ[ ]θω[ ]ω μααρ
cεμεcιλ[αμ . .]ρμαραχνευ μανεθωθ αγιε ειcελθε και λυcον τον ♃ και δοc αυτω οδον
30 εξοδου [cεcε]νγεν βαρφαραγγηc ο διαλυων παντα τα δεcμα και διαλυων τον περικει (170)
μενον [. . .]ον τω ♃ οτι επιταccει cοι ο μεγαc και αρρητοc και οcιοc και δικ[αι]οc και φρικτοc
και ιcχυ[ροc και] αφθενκτοc και φοβεροc και ακαταφρονητοc του μεγαλου θεου δαιμων cορο
ε μερ [. . . . .]βαξ μαμφρι ουριξγ οταν δε ραγη τα δεcμα λεγε ευχαριcτω cοι κυριε
οτι μοι ε[. . .] το αγιον πνευμα το μονογενεc το ζωον και παλιν λεγε τον λογον
35 αcτροθ[. . .] θεε κεραυνομεγαλονοζηνοπερατοκοcμολαμπροβηλοπλουτοδαιμω̅ (175)

1 κ[αι ο] βειcαc* : κ[. .]ρειcαc Pr, proposing κ[αὶ τ]ρήcαc : καὶ δήcαc conj. Bücheler and Kroll (καὶ δείcαc already RL) || **5** βυccινον (in which case ι was added later) or perhaps βυcεινον || **9** τη[ν]* μορ with RLD : τι[να] μορ Pr || **16** ωεαεωυνηωχ or ωεαεωνηωχ: χ ex corr. αθαβραχια with RLD : αθαβραcια Pr || **19** οταν: α ex corr. || **22** τεκμηριο[ν] δε* with RLD : τεκμηριο[ῦ]c δέ Pr || **25** μαρcαβωουτωρθθ- with RLD : μαρcαβωουτωρθε Pr || **27** ανυγωcιν: ω corr. from αι || **33** ουριξγ: ξ ex corr. || **35** -ζηνο-: ο omitted by Pr

1 αεριαφριξ ακτινωπων δατοροφρην οδολοπ[. . . . . . .] ποιει δε και το του (176)
ηλιου ονομα προς παντα αιθωνηφαιη ηφαις[. . . . . . .]ε πυριφαη λαμ
προφαιτα ανανωχα αμαρζα μαρμαραμω [ ]
εαν βουλη τινα οργιζομενον σοι τινα παυσαι γραψας [εις . . .]ον ⳨ το της ορ
5 γης ονομα τουτο χνεωμ και κρατει τη ευωνυμω χ[ειρι και λ]εγε κατεχω την (180)
οργην παντων μαλιστα του Δ η εστιν χνεωμ
κυριε χαιρε το χαριτησιον του κοσμου και της οικ[ουμεν]ης ουρανος εγενετο
κομαστηριον αρσενοφρη ο βασιλευς των ουρανιω[ν θεων αβ]λαναθαναβλα
ο το δικαιον εχων ακραμμαχαμαρει ο επιχαρις θει[ος σανκ]ανθαρα ο της φυσε
10 ως ηγεμων σατραπερκμηφ η γενεσις του ουρανιου [κοσμου] αθθαννου (185)
αθθαννου αστραφαι ιαστραφαι πακεπτωθ πα[. . . . . . .]ηρινταςκλιουθ
ηφιω μαρμαραωθ η παρρησια μου μη με `εν´καταλειπ[ετω αλλ] ακουσατω μοι
πασα γλωσσα και πασα φωνη οτι εγω ειμι περταω [. . . . . . .]μνηχ σακμηφ
ιαωουεη ωηω ωηω ιεουωηιηιαηα ιηωυοει δος μ[οι . . . .]ως ο εαν βουλη
15 ονειρετητον λεγομενον προς αρ[. . . . . κ]αθαρου (190)
επι της αριστερας χειρος ελαιον λαβων επιλεγε τα ον[οματα ειτα] βρεξε και κοιμω
προς ανατολας εχων την κεφαλην ιησους ανου [. . . . . .] . . .
ιωσις χρυσου λαβων οξος δριμυ στυψον και εχετω α[. . . . . . .] αλος κοινου ∠ η̅
στυπτηριας ς⋇ ∠ β̅ λιθαργυρου ∠ δ̅ συνλειου τω οξει κ[αι εασον η]μερας γ̅ και αποσει
20 ρωσας χρω ειτα προσβαλε τω οξει χαλκανθου ∠ α̅ μ[. . . . . .] ημιοβελιον χαλκι (195)
τεως η̅ σωρεως οβολος ημιοβελιον αλος κοινου κερα[τι . . καπ]παδοκικου κερατια β̅
ποιησας πεταλον εχων τεταρτας β̅ πυρωσας βαπ[. . . . . . .]ις εως λακηθη το πε
ταλον ειτα αρας τα λακηματα εχε ως εξιωσιν του χρυσ[ου]
οζεια λαβων χρυσου τεταρτας ποιησον πεταλον και πυρω[σας . . .]ς βαψον εις καλκαν
25 θον τριμμενην μετ υδατος και αλλην ξηραν κοψα[ς και βα]πτων τω ξηρω (200)
αλλοτε τω μεμιγμενω αποχυε τον ιον και βαλε ει[ς . . . . .]ν
δακτυλειδιον προς πασαν πραξιν και επιτυχειαν μ[. . . . . . .] βασιλεις και ηγεμονες
λειαν ενεργες λαβων ιασπην αεριζοντα επιγραψον δρα[κοντα κυ]κλωτερως την ουραν
εχοντα εν τω στωματι και εν μεσον του δρακοντο[ς σεληνην] δυο αστερας εχουσαν
30 επι των δυο κερατων και επανω τουτων ηλιον ω ε[γγεγλυφ]θω αβρασαξ και οπισθε̅ (205)
της γλυφης του λιθου το αυτο ◻ αβρασαξ και κατα του π[εριζωμ]ατος επιγραψεις το μεγα
και αγιον και κατα παντων το ονομα ιαω σαβαωθ [. . . . . . .]σας τον λιθον εν χρυσω
δακτυλιω φορει οποταν η σοι χρειαν αγνος ων και επ[ιτευξη πα]ντων οσων προαιρη
τελεισις δε το δακτυλιδιον αμα τη ψηφω τη κατα παντ[ων τελετ]η ομοιως δε και εν χρυσω
35 γλυφεντα την αυτην ενεργιαν εχει τελετη δε η κατ[α παντω]ν η υπογεγραμμενη (210)
ποιησας βοθρον εν ηγνισμενω τοπω υπαιθερω ει [δε μη εν] σηματι καθαρω ηγνισμενω (211)

Due to the loss of a strip of papyrus in this column, about 6-10 letters have to be supplied in the right third of each line. Since this rule was not consistently adhered to in PGM, the text has to be altered in numerous places.

1 αεριαφριξ: ε ex corr. οδολοπ[* (with Pr) or οδολοτ[(with RLD) ποιει* with RLD : τελει Pr ‖ **2** ηφαις[. . . . . . .]ε* with RLD : Ἥφαισ[τ]ε Pr ‖ **2-3** λαμ|προφαιτα* ‖ **4** τινα οργιζομενον σοι τινα παυσαι* ‖ **8** αβ]λαναθαναβλα* : αβ]λαναθαναλβα RLDPr ‖ **9** επιχαρις θει[ος* σανκ]ανθαρα : ἐπίχαρις θε[ός, σανκ]ανθαρα Pr : ἐπιχαρισθε[ὶς] . . . . νθαρα RL ‖ **18** α[. . . . . . .]* : ἅ[μα] Pr : ἀ[νχούσης ∠ .] D : α. . . . . RL ‖ **19** κ[αι εασον η]μερας* γ̅ with D : κ[αθ' �]μέρας γ′ Pr following RL ‖ **21** κερα[τι . .* ‖ **22** βαπ[. . . . . . .]ις* : βάπ[τε τρ]ίς PrD following L's conjecture ‖ **24** πυρω[σας . . .]ς* : πυρώ[σα]ς Pr and similarly RLD ‖ **26** ει[ς . . . .]ν* : εἴ[σω] D and similarly Pr : εἰ . . . RL ‖ **29** εν μεσον* : ἔτι μέσον Pr : ἐπίμεσον RLD ‖ **35** η κατ[α παντω]ν* with Eitrem : ἡ κατ[ασκευ]ή PrD

1 [β]λεποντι προς ανατολην και ποιηcας επι τω βοθρω βωμον εκ ξυλων καρπιμων (212)
και επιθυc`αc´ χηνα αcπιλον και αλεκτρονας γ̅ και περcτερους γ̅ και αρωματα παντο
δαπα επιθυε ολοκαυcτων cυν τοιc ορνεοιc και εγγυc cταθειc του βοθρου βλεπε
προc ανατολην και επιcπενδων οινον μελι γαλα κροκον ευχομενοc και κρατων εν ω
5 αι γραφε ειcιν ενκεχαραγμεναι υπερ τον ατμον λεγε επικαλουμαι και ευχομαι την τελε (216)
την ω θεοι̣ ουρανιοι ω θεοι υπο γην ω θεοι εν μεcω μερει κυκλουμενοι γ̅ ηλιοι α̅ν̅ο̅χ̅
μ̅α̅ν̅ε̅ β̅α̅ρ̅χ̅υ̅χ̅ κατα α̅ μεροc εκ α̅ κοιλιαc εκπορευομενοι καθ ημεραν ω των παντω̅
ζωων τε και τεθνηκοτων κ[ρ]αταιοι των επι πολλαιc αναγκαιc θεων τε και ανθρω
πων διακουcται ω των φανερων καλυπται ω των νεμεcεων των cυν υμειν δια
10 τρειβουcων την παcαν ωραν κυβερνηται ω τηc μυραc τηc απαντα περιϊαιπαζο (221)
μενηc επιπομποι ω των υπερεχοντων επιτακται ω των υποτεταγμενων υψωται
ω των αποκεκρυμμενων φανερ̣ωται ω των νεμεcεων cυν υμειν διατρειβουντων την
παcαν ωραν παλιν κυβερνηται ω την ανεμων οδηγοι ω των κοιματων εξεγερται ο πυ
ροc κωμιcται κατα τινα καιρον ω παcηc γεννηc κτιcται και ευεργεται ω παcηc γεννηc
15 τροφοι ω βαcιλεων κυριοι και κρ̣α̣τιcται ελθαται ευμενειc εφ ο υμαc επικαλουμαι επι τω (226)
cυμφεροντι μοι πραγματι ευμενειc παραcταται εγω φυτον ονομα βαϊc εγω απορροια
αιματοc απο τηc του μεγαλου ταφηc των βαϊων εγω η πιcτειc ειc ανθρωπουc ευρεθειcα και
προ̣φητιc των αγιων ονοματων ειμι ο ανοc ο εκπεφυκωc εκ του βυθου εγω ειμι cοκρα
τηc ο πεφυκωc εκ του ουατιου εγω ειμι ο θεοc ον ουδειc ορα ουδε προπετωc ονομαζει
20 εγω ειμι το ϊερον ορ`νε´ον φοινιξ εγω ειμι ο κρατηc ο αγιοc προcαγορευομενοc μαρμαυωθ (231)
εγω ειμι ο ηλιοc ο δεδειχωc φωc εγω ειμι αφροδειτη προcαγορευομενη τυφι εγω ειμι
ο̣ α̣[γ]ι̣[ο]c επιβουλοc ανεμων εγω ειμι κρονοc ο δεδειχω φωc εγω ειμι μητηρ θεων η κα
λ̣[ου]μενη ουρανοc εγω ειμι οcιριc ο καλουμενοc υδωρ εγω ειμι ιcιc η καλουμενη δροcοc
εγω ειμι ηcενεφυc η καλουμενη εαρ εγω ειμι ειδωλοc τοιc κατακληθειαν ειδωλοιc ωμοι
25 ωμενοc κορκοδειλω εγω ειμι cουχοc διο δ⟦α̍ι⟧ομαι ελθατε μοι cυνεργοι οτι μελλω επικα (236)
λειcθω το κρυπτον και αρρητον ονομα τον προπατορα θεων παντων εποπτην κ̣α̣ι̣
κυριον δευρο μοι ο εκ των δ̅ αν[ε]μων ο παντοκρατωρ θεοc ο ενφυcηcαc πνευματα
ανθρωποιc ειc ζωην δεcποτα των εν κοcμω καλων επακουcον μου κυριε ου εcτιν
το κρυπτον ονομα αρρητον ο οι δαιμωνεc ακουcαντεc πτοουνται ου και ο ηλιοc β̅α̅ρ̅β̅α̅ρ̅ε̅ι̅χ̅
30 α̅ρ̅c̅ε̅μ̅φ̅ε̅μ̅φ̅ρ̅ω̅θ̅ ου το ονομα ου η γη ακουcαcα ελευcεται ο αδηc ακουων ταραccεται (241)
ποταμοι θαλαccα λιμναι πηγαι ακουουcαι πηγυνται αι πετραι ακουcαcαι ρηγυνται και
ουρανοc μεν κεφαλη αιθηρ δε cωμα γη ποδεc το δε περι cε υδωρ ωκεανοc αγαθοc δαιμων
cυ ει κυριοc ο γεννων και τρεφων και αυξων τα παντα τιc μορφαc ζωων επλαcε τιc
δε ευρε κελευθουc τιc καρπων γεννητηc τιc δ ουρεα υψοc εγειρει τιc δε ανεμουc εκελευcεν
35 εχειν ενιαυcια εργα τιc δε αιων αινα τρεφων αιωcιν αναccει ειc θεοc αθανατοc παντων (246)
36 γεννητωρ cυ πεφυκαc και παcιν ψυχαc cυ νεμειc και παντα κρατυνειc αιωνων βαcιλευ (247)
36 και κυριε ο̅ (247)

1 βοθρω: ο corr. from ω ‖ **2** επιθυc`αc´: first c corr. from ε ‖ **9** υμειν: υ corr. from ε ‖ **18** ανοc* : αιcοc (r. ἀ⟨εὶ⟩ ἴcοc) Pr : αγιοc RLD : αηαc Eitrem (*Aegyptus* 6, 1925, 120) ‖ **19** ουατιου: the τ need not be read as γ pace Pr (who interpreted ουατιου) and RLD; cf. the same form of τ following α in 5 ατμον and 26 προπατορα ‖ **25** δ⟦α̍ι⟧ομαι: second α ex corr.

1 και τρεμουϲιν ουρεα ϲυν παιδιοιϲ πηγων ποταμων τε τα ριθρα και βηυϲϲαϲ (248)
γαιηϲ [κ]αι πνευματα παντα τα φυντα ουρανοϲ υψιφαηϲ ϲε τρεμει και παϲα θαλαϲϲα
κυριε παντοκρατωρ αγιε και δεϲποτα παντων ϲη δυναμι ϲτυχεια πελει και φυ
εται παντα ηελιου μηνηϲ ται δρομοϲ νυκτοϲ τε και ηουϲ αερει και γαια και υδατι και
5 πυροϲ ατμω ϲου δε το αενναον κωμαϲτηριον εν ω αφιδρυται το ονομα ϲου το (252)
επταγραμματον προϲ αρμονιαν των επτα φθογγων εχοντων φωναϲ προϲ
ταϲ κη φωτα τηϲ ☾ ου αι αγαθαι απορροιαι των αϲτερων ειϲιν δαιμωνεϲ και τυχαι
και μοιραι ϲυ διδειϲ πλουτον ευγηριαν ευτεκνιαν ιϲχυν τροφαϲ ϲυ δε κυριε τηϲ
ζωηϲ βαϲιλευων τηϲ ανω και κατω αωραϲ ου η δικαιοϲυνη ουκ αποκλειεται
10 ου το ονομα το ενδοξον οι αγγελοι υμνουϲιν ο εχων την αψευϲτον αληθειαν (257)
επακουϲον μου και τελεϲον μοι τηνδε την πραξιν επι τω φορουντι μοι την
δε την δυναμειν εν παντι τοπω εν παντι χρονω απληκτον ακαταπονητον
αϲπειλον απο παντοϲ κινδυνου τηρηθηναι φορουντι μοι ταυτην δυναμειν
ναι κυριε ϲυ γαρ παντα υποτετακται τω εν ουρανω θεω και μηδειϲ δαιμων η
15 πνευματων εναντιωθεϲεται μοι οτι ϲου επι τη τελετη το μεγα ονομα επεκα (262)
λεϲαμην και παλιν επικαλουμαι ϲε κατα μεν αιγυπτιουϲ φνωεαι ιαβωκ κατα
δ ιουδαιουϲ αδωναιε ϲαβαωθ κατα ελληναϲ ο παντων μωναρχοϲ βαϲιλευϲ
κατα δε τουϲ αρχιερειϲ κρυπτε αορατε πανταϲ εφορων κατα δε παρθουϲ ουερτω
παντοδυναϲτα τελεϲον μοι και δυναμωϲον μοι τουτο πραγμα ειϲ απαντα τον
20 τηϲ ζωηϲ μο και ενδοξον χρονον τα δε οπιϲθεν ον[ο]ματα του λιθου επιγεγλυ (267)
φθωμενα εϲτιν ταδε ιαω ϲαβαωθ
αβραϲαξ

[signs]

δακτυλιδιον προϲ επιτευξιν και χαριν και νεικην ενδοξουϲ ποιει και μεγαλουϲ και θαυ
25 μαϲτουϲ και πλουϲιουϲ κατα δυναμιν η τοιουτων φιλειαϲ παρεχει εϲτι ϲοι κατα παντα δικαι (272)
ωϲ και ευπροφορωϲ αδιαλιπτοιϲ ο κυκλοϲ ονομα περιεχει καλλιϲτον ϑ γλυφεται επι λιθου ηλιο
τροπιου τον τροπον τουτον δρακων εϲτωϲ ενκυμων ϲτεφανου ϲχηματι ουραν εν τω
ϲτοματι εχων εϲτω δε εντοϲ του δρακοντοϲ κανθαροϲ ακτεινωτοϲ ιεροϲ το δε ονομα εκ
των οπιϲθε μερων του λειθου γλυψειϲ ιερογυφικωϲ ωϲ προφηται λεγουϲιν και τελεϲαϲ φορει
30 καθαρειωϲ τουτου μειζον ουδεν εϲχεν ο κοϲμοϲ εχων γαρ αυτο μεθ εαυτου ο αν παρα τινοϲ αι (277)
τηϲηϲ παντωϲ λημψει ετι δε βαϲιλεων οργαϲ και δεϲποτων παυει φορων αυτο ˋοˊ αν τινει ειπηϲ
πιϲτευθηϲη επιχαριϲ τε παϲιν εϲει ανυξει δε θυραϲ και δεϲμα διαρηξιϲ και λιθουϲ ο προˋϲˊα
γων τον λιθον τουτ εϲτιν ψηφον και λεγων το ονομα το υπογεγραμμενον (280)

1 βηυϲϲαϲ or βυϲυϲϲαϲ || **8** ευγηριαν or ευτηριαν: η ex corr. || **9** κατω: τ ex corr. || **17** δ in marg. added later || **24** χαριν: χ ex corr.

1 ποιει δε και προς δαιμονοπληκτους δος γαρ φορει`ν´ αυτο και παραυτα φευξεται το (281)
δαιμονιον πρωιας δε σταθεις κατεναντι του ηλιου κρατων τον λιθον τον ευμετρον
τον καλοποιον τον θειον τον αγνον τον χρησιμον τον φειδωλον τον ευσπλανχνον
τον τας χρησεις μεταδιδον`τ´α τον εμμελη τον ευπρεπη θεε μεγιστε ος υπερβαλλεις
5 την πασαν δυναμιν επικαλουμε σαι τον ιαω τον σαβαωθ τον αδωναι τον ειλωειν (285)
τον σεβωειν τον ταλλαμ τον χαυναων σαγηναμ ελεμμεδωρ χαψουθι τον σεττωρα
τον σαφθα τον νουχιθα τον αβρααν τον ισακ τον ιακκωβι τον χαθαθιχ τον ζευπειν
τον νηφυγορ τον ασταφαιον τον κατακερκνηφ τον κοντεον τον κατουτ τον κηριδευ
τον μαρμαριωθ τον λικυξαντα τον βεσσουμ τον συμεκοντευ τον κατα του θωιθ
10 τον μασκελλει τον μασκελλωθ τον φνου τον κενταβαωθ τον ορεοβαζαγρα τον ιππο (290)
χθων τον ρησιχθων τον πυριπηγανυξ νυξιω τον αβρωροκορε τον κοδηρε τον μου
ισδρω τον αναξ τον θαθ τον φαθ τον χαθ τον ξευζην τον ζευζει τον σουσηνη τον ελα
θαθ τον μελασιω τον κουκωρ τον νευσωω τον παχιω τον ξιφνω τον θεμελ τον
ναυθ τον βιοκληθ τον σεσσωρ τον χαμελ τον χασινευ τον ξωχω τον ιαλλινωι τον
15 σεισενγφαραγγης τον μασιχιωρ τον ιωταβαας τον χενουχι τον χααμ τον φαχιαραθ (295)
τον νεεγωθαρα τον ιαμ τον ζεωχ τον ακραμμαχαμαρει τον χερουβει τον βαινχωωχ
τον ειοφαλεον τον ιχανωθ τον πωε τον ξεφιθωθ τον ξουθουθ τον θοωθιου τον
ξεριφωναρ τον εφιναρασωρ τον χανιζαρα τον αναμεγαρ τον ιωο τον ξτουροριαμ
τον ιωκ τον νιωρ τον χετταιον τον ελουμαιον τον νωιω τον δαμναμενευ
20 τον αξιωθωφ τον ψεθαιακκλωψ τον σισαγετα τον νεοριφρωρ τον ιπποκελεφοκλωψ (300)
τον ζειναχα τον ιαφεθανα α´ ε´ η´ ι´ ο´ υ´ ω´ επεκαλεσαμην σε θεαι μεγισται και δια σου
τα παντα οπως δως θειαν και μεγιστην δυναμειν τουτω τω ξοανω και ποιησης
αυτο δυνασθαι και ισχυειν κατα παντων και χωρειν ψυχας μετατρεπειν πνευματα
κεινειν αντιδικους υποτασσειν φιλειας στηρειζειν πορους παντας περιποιειν ονει
25 ρους επιφερειν χρησμοδοτειν παθη τε ψυχικα και σωματικα και ασθενειαν εμπο (305)
δειστον τε ποιειν φιλτρα ερωτικα παντα αποτελειν ναι δεσποτα δεσποτα τελει τειλειαν
τελετην οταν δε τον λογον τουτο τελης εκαστης ημερας μεν λεγε τρις ϥ γ̅ ϛ̅ θ̅ τουτο
δε επι ημεραις ιδ̅ αρξαμενος απο της ☾γ̅ πειρω δε ειναι την θεον ητε εν ταυρω
η παρθενω η σκορπιω η εν υδρηχοω η εν ιχθυσι τελουντος δε σου καθ εκαστην
30 κλησιν επισπενδε τα προκειμενα και μυρων παντοδαπων χωρις λιβανου (310)
εκτελεσαντος δε την τελετην καθως προηκει εχε αλεκτορα διλοφον ητοι
λευκον η ξανθον απεχου δε μελανος και μετα την τελετην ζωντα τον αλεκτορα (312)

2 δε: δ ex corr. || 4 χρησεις: first σ corr. from ζ || 32 και: κ ex corr.

1 αναπτυζε και εκβαλε το ζωδαριον εσω εις τα cπλανχνα του αλεκτορου (313)
φιλοτιμουμενος οπως μη διαραγη το ενκατα του ζωου εασον δε ημεραν α̅
νυκτος δε ωρας θ̅ αρον και αποθου εν τοπω ιερω και χρω ως καλλιcτω
οcακεις αν βολει επιταccειν τω θεω τον μεγιcτον ουφωρα ειπων επιταccε και
5 τελει εχεις την τελετην του μεγιcτου και θειου ενεργηματος ο δε ουφωρ (317)
ουτος εcτιν ω ουρβικος εχρατο το ιερον ουφωρ το αληθεc δια παcης cυνcτο
μιας αληθους αναγεγραπται δι ου ζωπυρειται παντα πλαcματα και γλυφεται
και ξοανα τουτο γαρ εcτ[ι]ν το αληθες το δε αλλα οcα φερεται δια μακρων εψευδη
γορηται μηκος εικαιον περιεχοντα εcτιν δε ο και εχε εν αποκρυφω ως
10 μεγαλαμυcτηριον κρυβε κρυβε (322)

αρχη

ηνυγηcαν αι πυλαι του ουρανου ηνυγηcαν αι πυλαι της γης
ηνυγη οδευcεις της θαλαccης ηνυγη η οδευcις των ποταμων
ηκουcθη μου το πνευμα υπο παντων θεων και δαιμωνων
15 ηκουcθη μου το πνευμα υπο πνευματος ουρανου (327)
ηκουcθη μου το πνευμα υπο πνευματος επιγειου
ηουcθη μου το πνευμα υπο πνευματος θαλαccιου
ηκουcθη μου το πνευμα υπο πνευματου ποταμειου
δοτε ουν πνευμα τω υπ εμου καταcκευαcμενω μυcτηριω
20 θεους ονομαcα και επικεκλη μαι (332)
δοτε πνοην τω υπ εμου καταcκευαcμενω μυcτηριω
κρυβε κρυβε το αληθεινον ουφωρ εν cυντομεια
περιεχον την αληθειαν επικληcιcc ουφωρος

	ηι	ιεου	μαρειθ
25	ηι	ιεου	μονθεαθιμονγιθ
	ηι	ιεου	χαρεωθμονκηβ
	ηι	ιεου	cωχουcωρcωη
	ηι	ιεου	τιωτιω ουιηρ
	ηι	ιεου	χαρωχcιχαρμιωθ
30	ηι	ιεου	cαθιμωουεηου
	ηι	ιεου	ραιραι μουριραι
	ηι	ιεου	αμουνηει ουcιρι
	ηι	ιεου	φιρμνουν
	ηι	ιεου	ανμορχαθι ουηρ
35	ηι	ιεου	ανχερεφρενεψουφιριγχ
	ηι	ιεου	ορχιμορωιπουγθ
	ηι	ιεου	μαχψαχαθανθ
	ηι	ιεου	μοροθ

(337) (342) (347) (350)

3 νυκτος: κ corr. from γ or τ ‖ 6 αληθεc: εc corr. from η ‖ 16 πνευματος: c corr. from υ ‖ 20 επικεκλη μαι with blank space between, not επικεκλη . . μαι (Pr)

1 δημοκριτου cφαιρα προγνωcτικον ζωηc και θανατου γνωθι προc την ☾ (351)
ανεπεcε νοcων και το ονομα το εκ γεννετηc cυνψηφιcον την ☾ και βλεπε ποcαια
τρακαδεc γινονται και τα περιλειπομενα του αριθμου κατανοηcον ειc την cφαιραν
και αν η ανω η ψηφοc ζηcει εαν δε κατω τελευτηcει

α	ι	ιθ
β	ια	κ
γ	ιγ	κγ
δ	ιδ	κε
ζ	ιϛ	κϛ
θ	ιζ	κζ
ε	ιε	κβ
ϛ	ιη	κη
η	κα	κθ
ιβ	κδ	λ

(lines 5–14; (355), (360))

15 διακοποc (365)
τ̣ηc ταρειχου οcτρακον επιγραψον χαλκω γραφειω λογοc και επιδιωκε και θεc
οπου ειcιν οπου υποcτρεφονται επιλεγων αμα και τον λογον επικαλουμε cαι
τον επι κενω πνευματι δεινον αορατον μεγαν θεο̣ν τον παταξαντα γην και
cεμνοτατον τον κοcμον ο φιλων ταραχαc και μειcων ευcταθειαc και cκορπιζ̄ω̄
20 ταc νεφελαc απ αλλ̣ηλων ιαια ιακουβιαι ιωερβηθ ιωπακερβηθ ιωβολχοcηθ (370)
βαcδουμα παταθναξ αποψc οcεcρω αταφ θαβραου ηω θαθθαβρα
βωραρα αροβρειθα βολχοcηθ κοκκολοιπτολη ραμβιθνιψ δοτε τη Δ
τηc Δ μαχην πολεμον `και´ τον Δ τηc Δ αηδιαν εχθραν ωc ειχον τυφων και οcιριc
ει δε ανηρ εcτιν και γυνη ωc ειχον τυφον και ειcιc ιcχυρε τυφων μεγαλο
25 δυναμε ταc cαc δυναμειc αποτελει (375)
αγρυπνιτικον λαβων νυκτεριδαν ζωcαν επι τηc δεξιαc πτερυγοc ζωγραφηcον ⳨
του ϋποκειμενον ζωδιον επι τηc αριcτεραc τα ζ̄ □̄ □̄ καταγραψον θ̄ῡ και οτι
αγρυπνειτω η Δ ην Δ εωc ϲ̣υ̣φονηcη και ουτωc αυ αυτην απολυcον εν αποκρουcι
δε αυτο αποτελει τριταιαc ουcηc τηc θεου και αϋπνοc τελευτηcει μη διαμηκυνα
30 cα ημεραc ζ̄ λυcιν ουκ εχει τουτο ουδεπωποτε εαν δε βουλευη ποτε μη (380)
απολυε αυτην αλλ εχε τηρουμενην αυτην και το αυτο ποιει οτε δε βουλει λυ
cαι εξαλιψαc πηγαιω ϋδατι επι των πτερυγων καταγραφεντα απολυcον
το ορνυφιν τουτο δε μη πραττε ει μη επι μεγαληc επιβουληc εcτιν ουν (383)

2 ποcαια with RLD : ποcταια Pr, but between c and α is just some random ink || **4** ζηcει : above ζ, a blotch || **16** τ̣ηc: what looks like τ is made ⸆ ("in der Vorlage wohl Paragraphus" Pr) || **18** κενω: ε ex corr. || **19** cεμνοτατον: ε ex corr. || **24** ωc: ω corr. from ε || **28** `c´υφονηcη (υ corr. from ε or, less likely, α) with RLD : cυνφονηcη Pr || **31** αυτο: ο corr. from ω || **32** καταγραφεντα: above ατ, two strokes.

1 το ζωδιον τοδε (384)

τα δε ονοματα επι της αριcτεραc πτερυγοc
καṭạγραφομενα ειcι ταυτα επικαλου
μαι cε την μεγιcτην θεον
5 θαθαβαθαθ (389)
πετενναβουθι
πεπτουβαc⟦θ̣⟧ει
ηcουcουαιρα
μουνουθι
10 αcχελιδονηθ (394)
βαθαριβαθ
αγρυπτεινω η ⍋ δι υληc νυκτοc τε και ημεραc εωc θανη ηδη $\bar{\beta}$ ταχυ $\bar{\beta}$
προc επιχιρειν και φιλει`α´ν δια παντοc λαβων ριζαν παcιθεαν η
αρτεμιcιαν επιγραφε το □ τουτο αγνωc ǂ ϒ λ ⊱ 3 m m L και φορει
15 και εcη και επιχιρειc και προcφιληc και θαυμαcτοc τοιc ορωcι cοι (399)
η αναγραφη ⸸ ⸸ ∠ $\bar{\alpha}$ μιcυοc ∠ $\bar{\delta}$ χαλκανθου ∠ $\bar{\beta}$ κηκιδων ∠ $\bar{\beta}$ κομεωc ∠ $\bar{\gamma}$
ερμηνευματα εκ των ιερων μεθερμηνευμενα
οιc εχρωντο οι ιερογραμματειc δια την των πολλων
περιεργιαν ταc βοταναc και τα αλα οιc εχρωντο
20 ειc θεων ειδωλα επεγραψαν οπωc μη ευλαβουμενοι (404)
περιεργαζωνται μηδεν δια την εξακολουθηcιν
τηc αμαρτεịαc ημειc δε ταc λυcιc ηγαγομεν εκ των
πολλων αντιγραφων και ` . . ´ κρυφιμων παντων εcτι δε

	κεφαλη [ο]φεωc	βδελλα	
25	αγαθιc ο[φ]εωc	κεịṛịτην λεγει	(409)
	αιμα οφ[ε]ωc	αιματιτηc λιθοc	
	οcτουν ι[β]εωc	ραμνοc εcτιν	
	αιμα χοιρ[ο]γρυλλου	αληθωc χοιρογρυλλου	
	δρακυα κυ[ν]οκεφαλου	χυλοc αννηθου	
30	αφοδευμα κορκοδειλου	αιθιοπικην γ̣ην	(414)

12 θανη: θ ex corr. || 20 ευλαβουμενοι* : cυλαβουμενοι RLDPr || 23 ` . . ´: ọc̣ or ω̣c̣ ?

1	αιμα κυνοκεφαλου	αιμα καλαβωτου	(415)
	λεοντος γονος	ανθρωπου γονος	
	αιμα ηφαιστου	αρτεμιςια	
	τριχες κυνοκεφαλο̣υ̣	αννηθου ςπερμα	
5	γονος ερμου	αννυϊθ`ο´ν	(419)
	αιμα αρεως	ανδραχνη	
	αιμα οφθαλμου	ακεκαλλιδα	
	αιμα απ ωμου	ακανθις	
9	απ οςφυος	ανθεμαιον	(423)
	⟦α̣π̣ ο̣ς̣φυο̣ς⟧		
10	χολη ανθρωπου	βυνεως χυλος	(424)
	ουρα χο[ι]ρου	ςκορπιουρον	
	οςτουν ιατρου	αμμιτην λι̣θ̣ον	
	εςτιας αιμα	ανθεμιον	
	αετον	ο ςελγεβει	
15	αιμα χηνα`λο´πεκος	γαλα ςυκαμεινης	(429)
	αρ̣`ω´μα κρονου	γαλα χοιριδιου	
	τριχες λεοντος	βυνεως γλωςςα	
	αιμα κρονου	κεδριας	
	γονος ηλιου	ελλεβορος λευκος	
20	γονος ηρακλεους	ευζωμον λεγει	(434)
	απο τειτανος	θρειδαξ αγρεια	
	αιμα απο κεφαλης	θερμος	
	`γονον´ ⟦αιμα⟧ ταυρου	ωον καν̣θαρου	
	καρδια ϊερακος	αρτεμιςιας καρδια	
25	γονος ηφαιςτου	κονυζα λεγει	(439)
	γονος αμμωνος	κρινανθεμον	
	γονος αρεως	τριφυλλον	
	αςτηρ απο κεφαλης	τιθυμαλλον	
	απο κοιλειας	χαμαιμηλον	
30	απο ποδος	χρυςοςπερμον	(444)

15 ςυκαμεινης : ςυκαμινης PrD : ςυκαμενης RL

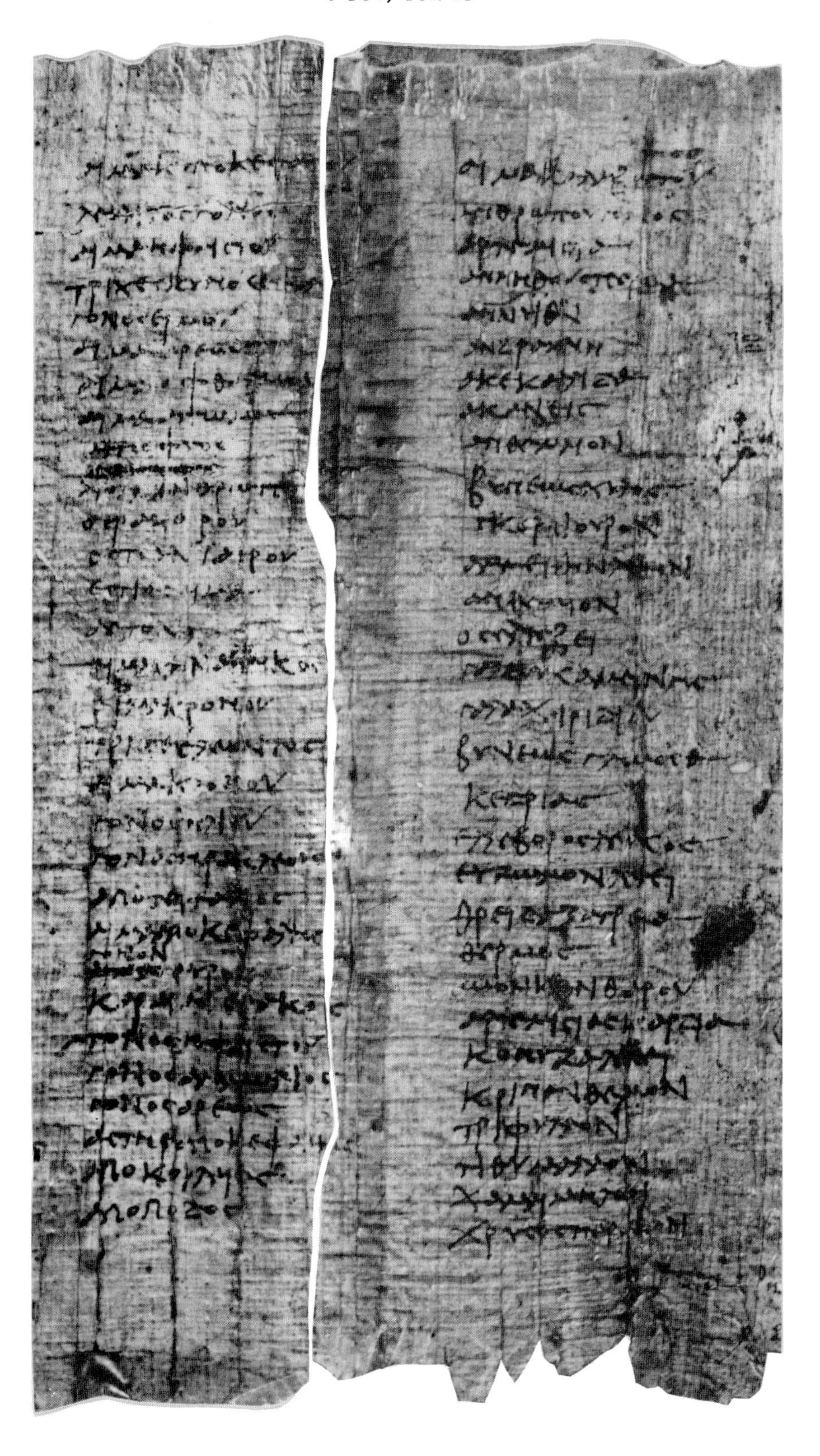

Col. 15 (Greek section only; photo in *OMRO* 56, 1975, Plate XI).

The line in this column represented by PGM XII 453* is not transcribed here.

21 επικαλουμαι cε [το]ν ε[ν] τ̣[ω] κ̣[ε]νω [πνε]υ (454)
ματι διον αορα[το]ν θεον φθοροποιοc
και ερημωποιουν [μ]ειcουντα οικιαν ευ
cταθουcαν κα̣τ̣α[.] . ον πραccοντα επι
25 καλουμαι cου τ[ο] μ̣ε̣γα □ ποιηcον τον ⍋ (458)
διαχοριcθηναι απο του ⍋ ϊω ϊω ϊωβραχ
κραβρουκριου βατριου απομψ cτρουτελιψ
ιακο[υβ . . . . .] ιαω [. . .]ερβηθ πακερβηθ
θεου α̣ι̣η θεον θεω[ν . .]ε̣καρωc̣ ε̣π̣ι̣ τηc πυληc
30 του ϊαω διακοψον [τ]ον ⍋ απο του ⍋ οτι εκει (463)
μει οξανθιc δαι[μω]ν̣ ουβαε̣μ̣ε̣ . . τεβερετ̣ερρι
. . . . . . ει . . . . . [δια]κοψον το[ν ⍋ απο τ]ου ⍋ (465)

28 ιαω [. . .]ερβηθ with RLD : ιω [πακ]ερβηθ Pr ‖ **30-31** εκει|μει with Eitr : ἐκεῖ | μεν RLD : ἐγώ εἰμι* ("εγω (ω üb. γ) ει od. εκει|μει P") Pr ‖ **31** ουβαε̣μ̣ε̣ . . : ουβαθ . ε . . Pr : ουβαεμε . . . . RLD and sim. Eitrem

Col. 16 (Greek section only; photo in *OMRO* 56, 1975, Plate XII).

The lines in this column represented by PGM XII 466-68* and 471-73* are not transcribed here.

19 εγειρε̣c̣ο̣ι̣ αποβα . . ν . . επ . [.] . . μ̣ιρ . ωc̣ (469)
20 θ̣ι̣ρ̣ι̣θατ α . . τ̣ηcε̣ . θω . c̣εκα̣c̣τηc̣ (470)

19 εγειρε̣c̣ο̣ι̣ αποβα . . ν . . επ . [.] . . μ̣ιρ . ωc̣ : εγειρε̣cοι αποβαιν̣ω̣ν̣ επι ε̣ν̣χειριcιc Pr : ἔγειρί (r. ἔγειρέ) μοι ἀπὸ βάριν αλεπ . . . . μιρι . ιωc RL and similarly D (μιριδιωc)
20 θι̣ρι̣θ̣ατ α . . τ̣ηcε̣ . θω . c̣εκα̣c̣τηc̣ : θιριθατ α . οτηc ε . θω . . cακα . . . RL and sim. D : εἶργε ἀπα[ν]τήcε[ι]c θω[ῆ]c ἑκάcτ[ηc] Pr

Col. 17 (Greek sections only; photo in *OMRO* 56, 1975, Plate XIII).

6 . . . . ωριχ̣ θαμβιτω αβρααμ̣ ο̣ε̣π̣ι̣[(474)
. . . . ανοιεγχιβιωθ μ̣ο̣υ̣ρ̣ο̣υ̣[
ο̣λ̣η̣ν̣ τε τ̣ην ψυχην . . . . [
[το γυ]ναικ[ει]ον cωμα της Δ [
10 ε̣ξ[ορκι]ζω [υ]μαc κατα του . . [(478)
11 [. . . .]ι̣ εκπυρωcαι την Δ . . [(479)

14 αλλ̣ανθ̣ (480)
15 β̣ι̣ρ̣ε̣ι̣β̣α̣ (481)
μετιρα[
εμεθ .
θαραβλαθ
φνουθε̣
20 θουχαρα̣ (486)
ωcουχαρ[ ]
cαβαχ̣α̣[ ] (488)
καυcον τ̣ην Δ εωc [ελ]θη (490)
προc εμε τον Δ ηδ[η η]δη
25 ταχυ ταχυ (492)
εξ[ορ]κι[ζ]ω υμαc [ν]ε̣κ̣υ̣δ̣α̣ι̣μ̣ω̣ν̣α̣c̣ . κ . [
κ . . ο . δ̣αιμων [γ]ε̣νου βαλανιcα̣ και το[υ
28 κ . πρ[ο]cωπου και των c̣υ̣ν̣ α̣υ̣τ̣ω̣ θεω[ν (495)

6 ff. and **14** ff. are not 5 ff. and 13 ff. as indicated in PGM || **22-23**: see p. xxii on line 489 || **27** δ̣αιμων [γ]ε̣νου* : δ]αίμων[ο]c τοῦ Pr : [δ]αιμων . . . α του D : . αιων . . . . . του RL βαλανιcα̣* with RLD (βαλανιc .) : Βαλ[cάμου] Pr following a conjecture of D || **28** κ . πρ[ο]cωπου* : κυ[νο]πρ[ο]cωπου Pr with D : κ . . πρ[ο]cωπου RL

P. LEID. J 395 (= PGM XIII)

PHOTOGRAPHS AND TRANSCRIPTION

1 θεος (1)
θεοι
βιβλος ϊερα επικαλουμενη μονας η ογδοη μουσεως
περι του ☐ του αγειου περιεχει δε ουτως αγνος μεινο̅ν̅
5 ημερας μ̅α̅ προψυφισας ϊνα εις την συνοδον την εν κρι (5)
κριω καταντηση εχε δε οικον επιπεδον· ὁπου προ εν
ιαυτου· ουδεις ετελευτησε· εστω δε η θυρα προς δυσμας
βλεπουσα· και αναπηξας μεσον του οικου β`ω´ομον γεϊνον
και ξυλα κυπαρισσινα· στροβ`ε´λους δεξιους δεκα αλεκτο
10 ρας δυο λευκους ασεινεις τελε`ι´ους και λυχνους δυο τε (10)
ταρτημοριους παηρωσας ελαιου χρηστου κ∫ μηκετι
επιχεης εισηλθον·τος γαρ του θεου περισσοτερον εξα
ωθησονται· απυρτισθω δε η τραπεζα τοις επιθυμα
σι τουτοις. συνγενικοις ουσι του θεου· εκ δε ταυτης τη̅
15 βιβλου ερμης κλεψας τα επιθυματας προσεφωνησεν (15)
εαυτου ϊερα βυβλω· επικαλουμενη πτερυγι του μεν
κρονου· στυραξ· εστιν γαρ βαρις· κ∫ ευωδης· του δε διος
μαλαβαθρον· του δε αρεως κοστος· του δε ηλιου λιβανο̅
της δε αφροδιτης̇ ναρδος ϊνδικος. του δε ερμου κασια·
20 της δε ☽ ζμυρνα· ταυτα εστιν τα αποκρυφα επιθυμ̅ (20)
ο δε λεγει εν τη κλειδι μουσης σκευασεις επι παντος
οροβου ηλιακον κυαμω αιγυπτιω τουτοις λεγει·
κ∫ ταυτα δε ο μανεθως ελεγε `ε´ν ϊδια βιβλω εντευθεν
βαστασας τα ζ̅ ανθη των ζ̅ αστερων α εστι· σαμψουχοι
25 κοινον κηπιν`ο´ων· λωτινον· ερεφυλλινον· ναρκισ (25)
σινον· λευκοϊνον· ροδον ταυτα τα ανθη προ εικοσι
μιας ημερας της τελητης λεοτριβησον ϊς λευ
κην θυιαν κ∫ ξηρανον εν σκια κ∫ εχε αυτα ετοιμα εις
την ημεραν εκεινην″ προτερον δε συνιστανου σια̣
30 δηποτ ουν νεομηνια κατα θεον τοις ωρογεν⟦α⟧εσιν (30)
θεοις· οις εχεις `ε´ν τη κλειδι τελεοθηση δε αυτοις ου
τος ποιησον εκ σεμιδαλ⟦ο⟧εως ζωδια γ̅ ταυροπρο
σω) τραγοπροσω) κρειοπροσωπον εν εκαστον αυτω̣
επι πολου εστωτα μαστιγας εχοντα αιγυπτιας και
35 περικαπνισας καταφαγε λεγ⟦ε⟧`ον´ τον λογον τον ωρογενω̣ (35)
τον εν τη κλειδι κ∫ τον επαναγκον αυτον κ∫ τους εφεβδ
δοματικους τεταγμενους κ∫ εση τελεσμενος αυτοις
ϊτα τη καθολικη συστασει εχε νιτρον τετραγωνο̅
⟦α⟧εις ο γραψει[ς] το μεγα ☐ ταις επτα φων⟦ε⟧αις αντι δε
40 του ποππυσμου κ∫ του συρισμου γραψον ει̣ς̣ το εν μερος (40)
του νιτρου κοκοδιλον· ιερακοπροσωπον κ∫ αυτω εφε
στωτα τον εννεαμορφον αυτος γαρ ο ιερακοποσωπος
κορκοδειλος ϊς τας δ̅ τροπας τον θ̣ε̣ο̣ν ασπαζεται
τω πο`π´πυσμω αναπνευσας γαρ ποππυ̣ζει εκ του βυθου (44)

6 καταντηση: first α ex corr. || **11** ελαιου: αι corr. from ου || **12** περισσοτερον: ν ex corr. (ι ?) || **13** απυρτισθω: υ over an erasure || **19** του δε: δ apparently corr. from τ ("δ durchstrichen" Pr) || **21** λεγει: γ corr. from σ ? || **29-30** At the bottom of the ρ of προτερον (29) and above the ο of θεον (30) is a piece of writing that Pr regarded as a lectional sign or a correction (perhaps ω), but it is probably merely the end of this scribe's ρ (cf. the ρ in 32 ταυρο- and that in ϊερα on pag. 2, line 17) || **42** εννεαμορφον: μ corr. from φο

J. 395
pag. 1.

ΘΕΟΣ
ΘΕΟΙ
ΒΙΒΛΟΣΙΕΡΑΕΠΙΚΑΛΟΥΜΕΝΗΜΟΝΑΣΗΟΓΔΟΗΜΩΥΣΕΩΣ
ΠΕΡΙΤΟΥ [illegible] ΤΟΥΑΓΕΙΟΥΠΕΡΙΕΧΕΙΔΕΟΥΤΩΣ ΑΓΝΟΣΜΕΙΝΟΝ
ΗΜΕΡΑΣΜΑΠΡΟΤΥΦΙΣΑΣΙΝΑΕΙΣΤΗΝΣΥΝΟΔΟΝΤΗΝΕΝΚΡΙ
ΚΡΙΩΚΑΤΑΝΤΗΣΗΣ ΕΧΕΔΕΟΙΚΟΝΕΠΙΠΕΔΟΝ ΟΠΟΥΠΡΟΕΝ
ΑΥΤΩΟΥΔΕΙΣΕΤΕΛΕΥΤΗΣΕ ΕΣΤΩΔΕΗΘΥΡΑΠΡΟΣΔΥΣΜΑΣ
ΒΛΕΠΟΥΣΑ ΚΑΙΑΝΑΣΤΗΣΑΣΜΕΣΟΝΤΟΥΟΙΚΟΥΒΩΜΟΝΓΗΙΝΟΝ
ΚΑΙΞΥΛΑΚΥΠΑΡΙΣΣΙΝΑ ΣΤΡΟΒΙΛΟΥΣΔΕΞΙΟΥΣΔΕΚΑ ΑΛΕΚΤΟ
ΡΑΣΔΥΟΛΕΥΚΟΥΣΑΣΕΙΝΕΙΣΤΕΛΕΟΥΣ ΚΑΙΛΥΧΝΟΥΣΔΥΟΤΕ
ΤΑΡΤΗΜΟΡΙΟΥΣΠΛΗΡΩΣΑΣΕΛΑΙΟΥΧΡΗΣΤΟΥΚΑΙΜΗΕΤΙ
ΕΠΙΧΕΗΣ ΕΙΣΗΛΘΟΝ ΤΟΣΓΑΡΤΟΥΘΕΟΥΠΕΡΙΣΣΟΤΕΡΟΝΕΞΑ
ΦΘΗΣΟΝΤΑΙ ΑΠΥΡΟΣΤΙΣΘΩΔΕΗΤΡΑΠΕΖΑ ΤΟΙΣΕΠΙΘΥΜΑ
ΣΙΤΟΥΤΟΙΣ ΣΥΝΓΕΝΙΚΟΙΣΟΥΣΙ ΤΟΥΘΕΟΥ ΕΚΔΕΤΑΥΤΗΣΤΗ
ΒΙΚΛΟΥ ΕΡΜΗΣΚΕΚΛΟΦΑΣ ΤΑΕΠΙΘΥΜΑΤΑ ΤΑΣΠΡΟΣΕΦΩΝΗΣΕΝ
ΕΑΥΤΟΥΙΕΡΑΒΥΒΛΩ ΕΠΙΚΑΛΟΥΜΕΝΗ ΠΤΕΡΥΓΙ ΤΟΥΜΕΝ
ΚΡΟΝΟΥ ΣΤΥΡΑΞ ΕΣΤΙΝΓΑΡΒΑΡΙΣ ΚΑΙΕΥΩΔΗΣ ΤΟΥΔΕΔΙΟΣ
ΜΑΛΟΒ [illegible] ΑΡΕΩΣΚΟΣΤΟΣ ΤΟΥΔΕΗΛΙΟΥ ΛΙΒΑΝΟ
ΤΗΣΔΕΑΦΡΟΔΙΤΗΣΝΑΡΔΟΣΙΝΔΙΚΟΣ ΤΟΥΔΕΕΡΜΟΥΚΑΣΙΑ
ΤΗΣΔΕΣΕΛΗΝΗΣΖΜΥΡΝΑ ΤΑΥΤΑΕΣΤΙΝΤΑΑΠΟΚΡΥΦΑΕΠΙΘΥΜ
ΟΔΕΛΕΓΕΙΕΝΤΗΚΛΕΙΔΙΜΩΥΣΗΣ ΣΚΕΥΑΣΕΙΣΕΠΙΠΑΝΤΑΣ
ΟΡΟΒΟΥΗΛΙΑΚΟΝΚΥΑΜΟΝΑΙΓΥΠΤΙΟΝ ΤΟΥΤΟΙΣΛΕΓΕΙ ΒΙ
ΚΑΙΤΑΥΤΑΔΕΟΜΩΝΕΘΩΣΕΛΕΓΕΝΤΑΙΣΔΙΑΒΙΒΛΩ ΕΝΤΕΥΘΕΝ
ΒΑΣΤΑΣΑΣΤΑΖΩΘΗΤΩΝΞΑΣ [illegible] ΦΟΥΧΟ
ΚΟΙΗΝΟΝΚΗΠΙΑΙΟΝ ΛΩΤΙΝΟΝ ΕΡΕΦΥΛΙΝΟΝ ΝΑΡΚΙ
ΣΙΝΟΝ ΛΕΥΚΟΪΝΟΝ ΡΟΔΟΝ ΤΑΥΤΑΤΑΑΝΘΗ ΠΡΟΕΙΚΟΣΙ
ΜΙΑΣΗΜΕΡΑΣ ΤΗΣ ΤΕΛΕΤΗΣ ΛΕΟΤΡΙΒΗΣΑΣ ΛΕΥ
ΚΗΝΘΥΙΑΝΚΑΙΞΗΡΑΝΟΝΕΝΣΚΙΑΚ ΕΧΕΑΥΤΗΣ ΟΙΜΑΣΙΣ
ΤΗΝΗΜΕΡΑΝΕΞΗΝ ΠΡΟΤΕΡΟΝΔΕ [illegible] ΤΑΝΟΥΣ
ΔΗΠΟΤΟΥΝΝΕ ΜΗΝΙΑΚΑΤΑΘΕΟΝ ΤΟΙΣ ΓΟΓΕΝΑΙΣ
ΘΕΟΙΣ ΟΙΣΕΧΕΙΝ ΤΗΚΛΕΙΔΙ ΤΕΛΕΣΘΗΣ [illegible] ΤΟΙΣΟ
ΤΟΣΠΟΙΗΣΟΝΕΣΣΕΜΙΔΑΛΙΝΕΩΣ ΖΩΔΙΑ Γ ΤΑΥΡΟΠΡΟ
ΣΩΠΟΝ ΤΡΑΓΟΠΡΟΣΩΠΟΝ ΚΡΕΙΟΠΡΟΣΩΠΟΝ ΕΝΕΚΑΣΤΟΝ ΑΥΤ
ΕΠΙΠΟΛΟΥ ΕΣΤΩΤΑ ΜΑΣΤΙΓΑΣ ΕΧΟΝΤΑ ΑΙΓΥΠΤΙΑΣ ΚΑΙ
ΠΕΡΙΚΑΠΝΙΣΑΣ ΚΑΤΑΦΑΓΕ ΛΕΓΩΝ ΤΟΝ [illegible] ΩΡΟΣΕΚ
ΤΟΝΕΝΤΗΚΛΕΙΔΙΚΑΙΤΟΝΕΠΑΝΑΓΚΟΝ ΑΥΤΩΝ ΚΑΙΤΟΥΣΕΦΕΡ
ΔΟΜΑΤΙΚΟΥΣ ΤΕΤΑΓΜΕΝΟΥΣ ΚΑΙΕΣΗ ΤΕΤΕΛΕΣΜΕΝΟΣ ΑΥ
ΤΑΤΗ ΚΑΘΟ [illegible] ΚΗΡΥΞΑΣΣΕ ΕΙΣΧΕΝΙΤΡΟΝ ΤΕΤΡΑΓΩΝΟΝ
ΔΕΙΣ ΓΡΑΦΕΙ ΤΟΜΕΓΑ ΟΝ ΤΑΣ ΕΠΤΑ [illegible] ΕΙΣ ΑΝ ΤΑ
ΤΟΥ ΠΟΠΠΥΣΜΟΥ ΚΑΙ ΤΟΥ ΣΥΡΙΓΜΟΥ ΓΡΑΦΟΝ Ε [illegible] ΕΝΜΕΡΟΣ
ΤΟΥΝΙΤΡΟΥ ΚΟΡΚΟΔΙΛΟΝ ΙΕΡΑΚΟΠΡΟΣΩΠΟΝ ΚΑΙ ΤΩ ΕΦΕ
ΣΤΩΤΑ ΤΟΝ ΕΝΝΕΑΜΟΡΦΟΝ ΑΥΤΑΣ ΠΑΡ ΙΕΡΑΚΟΠΡΟΣΩΠΟΝ
ΚΟΡΚΟΔΕΙΛΟΝ ΙΣΤΑΣ ΤΡΟΠΑΣ ΤΟΝ [illegible] ΑΣΠΑΖΕΤΑΙ
ΤΩ ΠΟΠΠΥΣΜΩ ΗΝ ΑΝΕΥΣΑΣ ΓΑΡ ΠΟΠΠ [illegible] ΕΚ ΤΟΥ ΒΥΘΟΥ

1 αναπνευσας γαρ ποππυζει εκ του βυθου κʃ αντι (45)
φωνει αυτω ο τας θ̄ μορφας διον αντι του ποππυς
τον ϊερακοπροσωπον κορκοδειλον γραφε· εστιν
γαρ η πρωτη κερεα του □̄ ο ποππυσμος δευτερον συ
5 ριγμος αντι δε του συριγμου δρακοντα δακνοντα τη̄ (49)
ουραν· ωστε εινα τα δυο ποππυσμον· κʃ συριγμον
ιερακοπροσωπον κορκοδειλον· κʃ εννεαμορφον
επανω εστωτα κʃ κυκλω τουτων δρακοντα
κʃ τας επτα φωνας· εστιν δε □̄ □̄ θ̄ ων προλεγε
10 τους ωρογενεις συν τη στηλη κʃ τους ημερησιους τους (54)
εφεβδοματικους τεταγενους κʃ τουτ\ω/⟦ο⟧ν τον επαναγκ̄ο̄/
ατερ γαρ τουτ\ω/⟦ο⟧ν ο εος ουκ επακουσεται· αλλ ως αμυ
στηριαστον ου παραδεξι ται > ει μη τον κυριον
της ημερας προειπης κʃ της ωρας πυκνοτερον
15 ην ευρησεις επι τελους διαταχην· ατερ γαρ αυτ\ω/ον (59)
ουδε εναπερσασει εν οις εχεις εν τη κλειδι μου·
εστιν δε η ϊερα στηλη η εν τω νιτρω γραφομενη·
επικαλουμαι σε των παντων μειζονα τον παντα
κτισαντα σε τον α`το´γεν`ν´ητον τον παντα ορωντα κʃ
20 μη ορωμενον συ γαρ εδωκας ϑ την δοξαν κʃ την (64)
δυναμιν απασαν σεληνην αυξειν κʃ απολη γειν
κʃ δρομους εχειν τακτους μηδεν αφαιρησας του πρ
ογενεστερου σκοτους· αλλ ισοτητα αυτων εμερισας·
σου γαρ εφανεντος κʃ κοσμος εγενετο κʃ φως εφανε
25 σοι παντα υποτετακται· ο͡υ ουδεις θεων δυναται (69)
ϊδειν την αληθινην μορφην· ο μεταμορφουμε̄ν̄
εις παντας αορατος ει αιων αιωνος· επικαλουμαι σε
κυριε ϊνα μοι φανης αγαθη μορφη οτι δουλευω
υπο τον σον κοσμον τω σω αγγελω· βιαθι
30 αρβαρ βερβιρς χιλατουρ βουφρουμτρωμ> και (74)
τω σω φοβω δανουφ χρατορ βελβαλι βαλβιθϊαω·
δια σε συνεστηκεν ο πολος κʃ η γη επικαλουμαι
κῡ σε ως οι υπο σου θεοι φανεντες·ϊνα δυναμιν εχ̄ω̄σ̄
εχεβυκρωμ ϑ η δοξα ααα ηηη >
35 ωωω ιιι ααα ωωω σαβαωθ>· αρβαθιαω (79)
ζαγουρη ο θεος αραθυ αδωναιε επικαλου
μαι σε κυριε· ορνεογλυφιστι αραϊ. ϊερογλυφιστι
ϊερογλυφιστι·> λαϊλαμ· αβραϊστι ανοχ
βιαθιαρβαθ βερβιρ εχιλατουρ βουφρουμτρομ
40 αιγυπτιστι αλδαβαειμ κυνοκεφαλιστι αβρασαξου (84)
ιερακιστι· χι χι χι χι χι χι χι τιφ τιφ τιφ
ιερατιστι (86)

2 ποππυς without indication of abbreviation || **10** ημερησιους* || **10-11** τους ημερησιους τους εφεβδοματικους* || **13** παραδεξι ται >: apparently the scribe first wrote παραδεξι > (symbol of omission?) and later entered ται in the space available || **15** ην: above η is a mark, perhaps a spiritus διαταχην: not indicated in the app. cr. of PGM || **16** μου*: deleted according to PGM app. cr., which states that the pap. has μ̣ο̣υ̣., but the dots of ink are so tiny that they are better explained as stray specks and not expunction; after the upsilon, normal stigme, not kato || **24** κοσμος: second ο corr. from ω || **27** ει: ι corr. from φ || **32** συνεστηκεν: η ex corr. (υ ?) || **33** κῡ σε*

·ΑΝΑΠΝΕΥCΑC ΓΑΡ ΤΙΟ ΤΙ ΠΠΥΖΕΙ ΕΚ ΤΟΥ ΒΥΘΟΥ ΚΑΙ ΑΝΤΙ
ΦΩΝΕΙ ΑΥΤΩ Ο ΤΑC Θ ΜΟΡΦΑC ΔΙΟΝ ΑΝΤΙ ΤΟΥ ΠΟΠΠΥC
ΤΟΝ ΙΕΡΑΚΟΠΡΟCΩΠΟΝ ΚΟΡΚΟΔΕΙΛΟΝ ΓΡΑΦΕ ΕCΤΙΝ
ΓΑΡ Η ΠΡΩΤΗ ΚΕΡΕΑ ΤΟΥ [illegible] ΟΠΟΠΠΥCΜΟC ΔΕΥΤΕΡΟΝ CΥ
[illegible] ΑΝΤΙ ΔΕ ΤΟΥ CΥΡΙΓΜΟΥ ΔΡΑΚΟΝΤΑ ΔΑΚΝΟΝΤΑ ΤΗΝ
ΟΥΡΑΝ· ΩCΤΕ ΕΙΝΑΙ ΤΑ ΔΥΟ ΠΟΠΠΥCΜΟΝ ΚΑΙ CΥΡΙΓΜΟΝ
ΙΕΡΑΚΟΠΡΟCΩΠΟΝ ΚΟΡΚΟΔΕΙΛΟΝ· ΚΑΙ ΕΝΝΕΑΜΟΡΦΟΝ
ΕΠΑΝΩ ΒΕΒΩΤΑ ΚΑΙ ΚΥΚΛΩ ΤΟΥΤΩΝ ΔΡΑΚΟΝΤΑ
ΚΑΙ ΤΑC ΕΠΤΑ ΦΩΝΑC ΕCΤΙΝ ΔΕ [illegible] Θ ΩΝ ΠΡΟΛΕΓΕ
ΤΟΥC ΩΡΟΓΕΝΕΙC CΥΝ ΤΗ CΤΗΛΗ ΚΑΙ ΤΟΥC ΗΜΕΡΗCΙΟΥC ΤΟΥC
ΕΦΕΒΔΟΜΑΤΙΚΟΥC ΤΕΤΑΓΜΕΝΟΥC ΚΑΙ ΤΟΥΤΩΝ ΤΟΝ ΕΠΑΝΑΓΚΟ
ΑΝΕΥ ΓΑΡ ΤΟΥΤΩΝ Ο ΘΕΟC ΟΥΚ ΕΠΑΚΟΥCΕΤΑΙ
CΤΗΡΙΑCΤΟΝ ΟΥ ΠΑΡΑΔΕΞΙ ΤΑΙ ΑΛΛΩC ΑΜΥ
ΤΗC ΗΜΕΡΑC ΠΡΟΕΙΠΗC [illegible] ΕΙ ΜΗ ΤΟΝ ΚΥΡΙΟΝ
ΗΝ ΕΥΡΗC ΕΙC ΕΠΙ ΤΕΛΟΥC ΚΑΙ ΤΗC ΩΡΑC ΠΥΚΝΟΤΕΡΟΝ
ΟΥΔΕ ΕΝΑ ΠΕΡCΑC ΕΙ [illegible] ΔΙΑ ΤΑΧΥΝ ΑΤΕΡ ΓΑΡ ΤΟΥΤΩΝ
ΕCΤΙΝ ΔΕ Η ΙΕΡΑ CΤΗΛΗ [illegible] ΜΟΥ
ΕΠΙΚΑΛΟΥΜΑΙ CΕ ΤΟΝ ΠΑΝΤΩΝ ΜΕΙΖΟΝΑ ΤΟΝ ΠΑΝΤΑ
ΚΤΙCΑΝΤΑ CΕ ΤΟΝ ΑΓΕΝΝΗΤΟΝ ΤΟΝ ΠΑΝΤΑ ΟΡΩΝΤΑ
ΜΗ ΟΡΩΜΕΝΟΝ CΥ ΓΑΡ ΕΔΩΚΑC Θ ΤΗΝ ΔΟΞΑΝ ΚΑΙ ΤΗΝ
ΔΥΝΑΜΙΝ ΑΠΑCΑΝ CΕΛΗΝΗΝ ΗΝ ΑΥΞΕΙΝ ΚΑΙ ΑΠΟΛΗΓΕΙΝ
ΚΑΙ ΔΡΟΜΟΥC ΕΧΕΙΝ ΤΑΚΤΟΥC ΜΗΔΕΝ ΑΦΑΙΡΗCΑC ΤΕΥ ΠΡ
ΟΙ ΕΝ ΕΤΕΡΟΥ CΚΟΤΟΥC ΑΛΛ ΙCΟΤΗΤΑ ΑΥΤΩΝ ΕΜΕΡΙCΑC
CΟΥ ΓΑΡ ΕΦΑΝΕΝΤΟC ΚΑΙ ΚΟCΜΟC ΕΓΕΝΕΤΟ ΚΑΙ ΦΩC ΕΦΑΝΗ
CΟΙ ΠΑΝΤΑ ΥΠΟΤΕΤΑΚΤΑΙ ΟΥ ΟΥΔΕΙC ΘΕΩΝ ΔΥΝΑΤΑΙ
ΙΔΕΙΝ ΤΗΝ ΑΛΗΘΙΝΗΝ ΜΟΡΦΗΝ· Ο ΜΕΤΑΜΟΡΦΟΥΜΕ
ΕΝ ΠΑΝΤΙ ΚΑΙ ΑΟΡΑΤΟC ΕΙ ΑΙΩΝ ΑΙΩΝΟC· ΕΠΙΚΑΛΟΥΜΑΙ CΕ
ΚΥΡΙΕ ΙΝΑ ΜΟΙ ΦΑΝΗC ΑΓΑΘΗ ΜΟΡΦΗ ΟΤΙ ΔΟΥΛΕΥΩ
ΥΠΟ ΤΟΝ CΟΝ ΚΟCΜΟΝ ΤΩ CΩ ΑΓΓΕΛΩ ΒΙΑΘΙ
ΑΡΒΑΘ ΒΕΡΒΙΡ CΧΙΛΑΤΟΥΡ ΒΟΥΦΡΟΜ ΤΡΩΜ ΚΑΙ
ΤΩ C[illegible] ΦΟΒΩ ΔΑΝΟΥΦ ΧΡΑΤΟΡ ΒΕΛΒΑΙ ΒΑΛΒΙΘ ΙΑΩ·
ΔΙΑ CΕ CΥΝΕCΤΗΚΕΝ Ο ΠΟΛΟC ΚΑΙ Η ΓΗ ΕΠΙΚΑΛΟΥΜΑΙ
ΚΑΙ CΕ ΩC ΟΙ ΥΠΟ CΟΥ ΘΕΟΙ ΦΑΝΕΝΤΕC ΙΝΑ ΔΥΝΑΜΙΝ ΕΧΩ CΕ
ΕΧΕΒΥΚΡΩΜ [illegible] ΟΥ Η ΔΟΞΑ ΑΑΑ ΗΗΗ ΥΥ
ΩΩΩ ΙΙΙ ΑΑΑ ΩΩΩ CΑΒΑΩΘ ΑΡΒΑΘΙΑΩ
ΖΑΓΟΥΡΗ Ο ΘΕΟC ΑΡΑΘΥ ΑΔΩΝΑΙ Ε ΕΠΙΚΑΛΟΥ
ΜΑΙ CΕ ΚΥΡΙΕ· ΟΡΝΕΟΓΛΥΦΙCΤΙ ΑΡΑΙ ΙΕΡΟΓΛΥΦΙ
ΙΕΡΟΓΛΥΦΙCΤΙ ΛΑΙΛΑΜ ΑΒΡΑΙΗ ΑΝΟΧ
ΒΙΑΘΙΑΡΒΑΘ ΒΕΡΒΙΡ ΕΧΙΛΑΤΟΥΡ ΒΟΥΦΡΟΥΜΤΡΟΜ
ΑΙΓΥΠΤΙCΤΙ ΑΛΔΑΒΑΕΙΜ ΚΥΝΟΚΕΦΑΛΙCΤΙ ΑΒΡΑCΑΞ ΟΥ
ΙΕΡΑΚΙCΤΙ ΧΙ ΧΙ ΧΙ ΧΙ ΧΙ ΧΙ ΧΙ ΤΙΦ ΤΙΦ ΤΙΦ
ΙΕΡΑΤΙCΤΙ

1 ιερατιϲτι μενεφωϊφωθ· χαχαχαχαχαχαχα>> (87)
ιτα κροτηϲον γ̄ ποππυϲον μακρον ϲυριϲον επι
μηκοϲ ηκε κυριε αμωμητοϲ κϳ απημα`ν´τοϲ ο μη
δεενα τοπον μιαινων οτι τετελεϲμαι ϲου το □̄
5 εχε δε πινακειτα ειϲ ην μελειϲ τρφιν οϲα ϲοι (91)
λεγει κϳ μαχαιριν ολοϲιδηρον διϲτομον ϊν εαν
τα θυματα θ⟦η⟧υηϲ καθαρον απο παντ⟦ο⟧ων κϳ ϲπον
δη οινου κεραμειον κϳ αγγειον μελιτοϲ μεϲτον
ϊνα αϲπειϲηϲ παντα δε ϲοι παρακειϲθω ετοιμα
10 ϲυ δε εν ελινοιϲ ϊεθϲι· καθαροιϲ εϲτεμενοϲ ελαϊνω̄ (96)
ϲτεφανω ποιηϲαϲ τον π⟦αι⟧εταϲον ουτ⟦^{ω}ο⟧ϲ
λαβων ϲινδονα καθαραν ενγραψον ⟦τουϲ⟧
κροϲω τουϲ τ⟦ε⟧ξ`ε´ θεουϲ· ποιηϲον καλυβην ⟦φε⟧
⟦η⟧υφ ην ϊθι τελουμενοϲ· εχε· δε και κατα του
15 τραχηλου κινναμωμον· αυτω γαρ ηδεται (101)
το θειον κϳ την δυναμιν παρεϲχετοι εχε δε κϳ
εκ ριζηϲ δαφνηϲ τον ϲυνεργουντ⟦ον⟧α απολλω
να γλυμμενον· ω παρεϲτηκεν τριπουϲ· κϳ
πυθιοϲ δρακ^{ω}ον γλυψον δε περ τον απολλων
20 το μεγα ονομα αιγυπτιακω ϲχηματι επι του (106)
⟦ϲτουθηϲαν⟧ ϲτηθουϲ αν$^{⟦αν⟧}$α γραμματιζομενον το
βαϊνχωωωχωωωχνϊαβ·> κϳ κατα του νοτου
του ζωδιου το □ τουτο> ϊλϊλλου· ϊλϊλλου·
ϊλϊλλου· περι δε τον πυθιον δρακοντα· κϳ τον
25 τριποδα⟦ν⟧>> ιθωρ μαρμαραυγη φωχω (111)
· φωβωχ· εχε δε τουτο κατα του τραχηλου
τελεϲαϲ ϲυνεργον^{ον}τα παντα`ν´των μετα του
κινναμμωμου> προαγνευϲαϲ ουν ωϲ προ
ειπον προ επτα ημερ⟦α⟧ων ☽ λειπουϲηϲ κατα
30 την ϲυνοδον χαμοκοιτων επι ψιαθου θ⟦υ⟧ρυνηϲ· (116)
κατα πρωι ανϊϲτανομενοϲ τον ηλιον ⟦αν⟧ χαιρετιϲον
επι επτα ημεραϲ· καθ ημεραν λεγ^{ω}ον τουϲ ωργενειϲ
θεουϲ πρωτον ϊτε τουϲ εφεβδοματικουϲ τεταγμενοϲ
μαθων δε τον κυριον τηϲ ημερα· εκεινον ενοχλει
35 λεγων ⟦τηπ⟧ κυριε τη ποϲτη καλω τον θεον· ϊτα ϊε (121)
ραϲ θυϲιαϲ αυτω ποιω α⟦ρ⟧^{ρι}χρι τηϲ ογδοηϲ ημεραϲ· ελθεων
ουν επι την ημεραν· το μεϲανυκτιον ωρα πεπτη·
οταν ηϲυχια γενηται· αναψαϲ τον βωμον εχε παρεϲ
τωϲαϲ τουϲ δυο αλεκτρυοναϲ· κϳ τουϲ δυο λυχνουϲ·
40 ητωϲαν δε ⟦λ⟧οι λ⟦ο⟧υχνοι τεταρτημοριοι· ημ`μ´ενουϲ· (126)
οιϲ ουκετι επιβαλειϲ ελαιον· αρξαι λεγειν την ϲτηλην
κϳ το μυϲτηριον του θεου· ο εϲτιν κανθαροϲ εχε δε κρα
τηρα παρακειμενον εχοντα γαλα μελαινηϲ βοοϲ (129)

2 κροτηϲον: ο corr. from α || **8** παντ⟦ο⟧ων: ω corr. from ϲ || **10** ϊεθϲι: ϊ added before ε later; ε perhaps corr. to ϲ || **12** ενγραψον: e corr. from a; ψο corr. from φω || **13** ποιηϲον: η corr. from ε || **25** μαρμαραυγη: third α ex corr. || **31** After completing 30, the writer sharpened his stylus, and from 31 on for some pages the writing is smaller and finer || **33** ϊτε: τ corr. from δ || **34** εκεινον: ε ex corr. || **36** α⟦ρ⟧^{ρι}χρι: the last ι is written over the τ of the following τηϲ || **40** λ⟦ο⟧υχνοι: υ corr. from ι; ν corr. from οι ?

ΙΕΡΑΤΙ ΕΤΙ ΜΕΝΕΦΩΙ ΦΩΘ· ΧΑΧΑΧΑΧ ΑΧΑΧΑΧΑΧΑΥ
ΙΤΑΚΙ ΟΤΗΣΩΝ [illegible] ΠΟΠΠΥΣΟΝ ΜΑΚΡΟΝ ΣΥΡΙΣΟΝ ΕΠΙ
ΜΗΚΟΣ ΗΚΕ ΚΥΡΙΕ ΑΜΩΜΗΤΟΣ Κ ΑΠΗΜΑΤΟΣ ΕΟΜΗ
ΔΕΕΝΑ ΤΟΠΟΝ ΜΙΑΙΝΩΝ ΟΤΙ ΤΕ ΤΕΧΕΣ ΜΑΙ ΣΟΥ ΤΟ
ΕΧΕ ΔΕ ΠΙΝΑΚΕ ΕΙΤΑΣ ΕΙΣ ΗΝ ΜΕΧΕΙΣ ΤΡ ΦΙΝΟΣ ΑΣΟΙ
ΛΕΓΕΙ Κ ΜΑΧΑΙΡΙΝΟΝ ΣΙΔΗΡΟΝ ΔΙΣΤΟΜΟΝ ΙΝΕΑΝ
ΤΑ ΘΥΜΑΤΑ ΘΥΗΣ ΚΑΘΑΡΟΝ ΑΠΟ ΠΑΝΤΩΝ Κ ΣΠΟΝ
ΔΗ ΟΙΝΟΥ ΚΕΡΑΜΕΙΟΝ Κ ΑΓΓΕΙΟΝ ΜΕΝ ΤΟΣ ΜΕΣΤΟΝ
ΙΝΑ ΑΣΙ ΙΕΙΣ ΗΣ ΠΑΝΤΑ ΔΕ ΣΟΙ ΠΑΡΑΚΕΙΣΘΩ ΕΤΟΙΜΑ
ΕΥΔΕΕΙ ΕΝ ΝΟΙΣ ΘΕΟΙΣ ΚΑΘΑΡΟΙΣ [illegible] ΜΕΝΟΣ ΕΛΑΙΝΟ
ΣΤΕΦΑΝ ΩΠΟΙΗΣΑΣ ΤΟΝ ΠΑΝ ΜΕΤΑΣΟΝ ΟΥΤΟΣ
ΛΑΒΩΝ ΣΙΝΔΟΝΑ ΚΑΘΑΡΑΝ ΑΝΕΠΙΓΡΑΦΟΝ ΤΟΥ
ΚΡΟΙΣΩ ΤΟΥΣ ΤΕΣ ΘΕΟΥΣ ΠΟΙΗΣΟΝ ΚΑΙ ΥΒΗΝ ΦΕ
ΝΥΦΗΝ ΓΙΘΙ ΤΕΛΟΥΜΕΝΟΣ· ΕΧΕ ΔΕ ΚΑΙ ΚΑΤΑ ΤΑ
ΤΡΑΧΗΛΟΥ ΚΙΝΝΑΜΩΜΟΝ· ΑΥ ΤΟ ΓΑΡ ΗΔΕΤΑΙ
ΤΟ ΘΕΙΟΝ Κ ΤΗΝ ΔΥΝΑΜΙΝ ΠΑΡΕΣΧΕΤΟ· ΕΧΕ ΔΕ Κ
ΕΚ ΡΙΖΗΣ ΔΑΦΝΗΣ ΤΟΝ ΣΥΝΕΡΓΟΥΝΤΑ ΑΠΟΛΛΩ
Ν [illegible] ΓΛΥΜΜΕΝΟΝ· Ω ΠΑΡΕΣΤΗΚΕΝ ΤΡΙΠΟΥΣ Κ
ΠΥΘΙΟΣ ΔΡΑΚΩΝ ΓΛΥΦΟΜΕΝ ΔΕ ΕΠΙ ΤΟΝ ΑΠΟΛΛΩΝ
ΤΟ ΜΕΓΑΛΟΝ ΟΜΑΝ ΑΙΓΥΠΤΙΑΚΩ ΣΧΗΜΑΤΙ ΕΠΙ ΤΟΥ
[illegible] ΝΕΤΗ ΘΟΥΣ ΑΝΑΓΡΑΜΜΑΤΙΖΟΜΕΝΟΝ ΤΟ
ΒΑΙΝ ΩΩΩ ΧΩΩΩ ΧΝΙΑΒΟΥ Κ ΚΑΤΑ ΤΟΥ ΝΩΤΟΥ
ΤΟΥ [illegible] ΤΟ [illegible] ΤΟΥ ΙΧ [illegible] ΛΟΥ ΤΧ [illegible] ΛΟΥ·
ΙΝ [illegible] ΟΥ· ΠΕΡΙ ΔΕ ΤΟΝ ΠΥΘΙΟΝ ΔΡΑΚΟΝΤΑ· Κ ΤΟΝ
ΤΡΙΠΟ ΔΑ [illegible] ΙΘΩΡ ΜΑΡΜΑΡΑΥΓΗ ΦΩΧΩ
· ΦΕ ΒΩΧ· ΕΧΕ ΔΕ ΤΟΥΤΟ ΚΑΤΑ ΤΟΥ ΤΡΑΧΗΛΟΥ
ΤΕ [illegible] ΣΥΝΕΡΓΟΝ ΤΑ ΑΠΑΝΤΑ ΤΩΝ ΜΕΤΑ ΤΟΥ
ΚΙΝΝΑΜΩΜΟΥ ΠΡΟΑΓΝΕΥΣΑΣ ΟΥΝ ΩΣ ΠΡΟ
ΕΙΠΟΝ ΠΡΟ ΕΠΤΑ ΗΜΕΡΩΝ ΛΕΙΠΟΥΣΗΣ ΚΑΤΑ
ΤΗΝ ΣΥΝΟΔΟΝ ΧΑΜΟΚΟΙΤΩΝ ΕΠΙ ΨΙΑΘΟΥ ΘΡΥΝΗΣ·
ΚΑΤΑ ΓΩΝΙΑΝ ΙΣΤΑΜΕΝΟΣ ΤΟΝ ΗΛΙΟΝ [illegible] ΤΟΝ
ΕΠΙ ΕΠΤΑ ΗΜΕΡΑΣ· ΚΑΘ ΗΜΕΡΑΝ ΛΕΓΩΝ ΤΟΥΣ ΩΡΟΓΕΝΕΙΣ
ΘΕΟΥΣ ΠΡΩΤΟΝ· Γ ΕΤΟΥΣ ΕΒΔΟΜΑΤΙΚΟΥΣ ΤΕΤΑΓΜΕΝΟΣ
ΜΑΘΩΝ [illegible] ΤΟΝ ΚΥΡΙΟΝ ΤΗΣ ΗΜΕΡΑΣ· ΕΧΕ ΙΝΟΝ ΕΝΟΧΛΕΙ
ΛΕΓΩΝ [illegible] ΚΥΡΙΕ ΤΗ ΠΟΣ ΤΗ ΚΑΙ ΤΟΝ ΘΕΟΝ· Γ ΤΑΙΣ
ΡΑΣ ΘΥΣΙΑΣ ΑΥΤΩ ΠΟΙΩ ΑΧΡΙ ΤΗΣ ΟΓΔΟΗΣ ΗΜΕΡΑΣ· ΕΛΘΕΙΩΝ
ΟΥΝ ΕΠΙ ΤΗΝ ΗΜΕΡΑΝ· ΤΟ ΜΕΣΑΝΥΚΤΙΟΝ ΩΡΑ ΠΕΜΠΤΗ·
ΟΤΑΝ ΗΣΥΧΙΑ ΓΕΝΗΤΑΙ· ΑΝΑΨΑΣ ΤΟΝ ΒΩΜΟΝ ΕΧΕ ΠΑΡΕΣ
ΤΩΤΑΣ ΤΟΥΣ ΔΥΟ ΑΛΕΚΤΡΥΟΝΑΣ· Κ ΤΟΥΣ ΔΥΟ ΛΥΧΝΟΥΣ·
Η ΤΩΣΑΝ ΔΕ ΟΙ ΛΥΧΝΟΙ ΤΕΤΑΡΤΗΜΟΡΙΟΙ· ΗΜΕΝΟΣ·
ΟΙΣ ΟΥΚ ΕΠΕΠΙΒΑΛΕΙΣ ΕΛΑΙΟΝ· ΑΡΞΑΙ ΛΕΓΕΙΝ ΤΗΝ ΣΤΗΛΗΝ
Κ ΤΟ ΜΥΣΤΗΡΙΟΝ ΤΟΥ ΘΕΟΥ· Ο ΕΣΤΙΝ ΚΑΝΘΑΡΟΣ· ΕΧΕ ΔΕ ΕΚΡΑ
ΤΗΣ ΑΠΑΡΑΚΕΙΜΕΝΟΝ ΕΧΟΝΤΑ ΓΑΛΑ ΜΕΛΑΙΝΗΣ ΒΟΟΣ

πρ

1 πρωτον εφανη φως αυγη δι ης εστησε τα
παντα εγενετο δε θεος καΤ ουτοι γαρ εισι ουτως
ο ειχε το αντιγραφ

γαλα μελαινης βοος κοινον αθαλασον εστιν γαρ αρχη (130)
5 και τελος· γραψας ουν ις τα δυο ⟦μερι^η^ του⟧ μερη του νιτ⟦ο⟧ρου (131)
την στηλην απολιξον το εν μερος κ/ το εν βρε
ξας εις τον κρατηρα αποπλυμα γαρφεσθω δε το νι
τρον εξ αμφοτερων των επιθυματων κ/ των ανθεων·
προ του δε σε απορυφαν/ το γαλα κ/ τον οινον επερεις
10 την εντυχιαν ταυτην· και ειπων κατακου επι των (136)
στρωματων κ/ κατεχων την π⟦α⟧νακειταν κ/ το γρα
φειον κ/ λεγε ερμαι` ¨ ´ επικαλουμαι σε τον τα παν
περιεχοντα παση φωνη κ/ παση διαλεκτω· ως πρτως
υμνησε σ⟦ου⟧ε ο υπο σου ταχθεις κ/ παντα πιστευθεις
15 τα αυθεντικα· ηλιος· αχεβ⟦β⟧υκρωμ·> η μηνυει του (141)
δισκου την φλογα κ/ την ακτεινα· ου η δοξα· ααα·
ηηη· ωωω· οτι δια σεν εδοξασθην ϊθ' ωσαλλως αλλο
μορφουμενους :τους αστερας ϊστας' κ/ τω φωτι τω ενθεω⟦ ̣⟧
κτιζ⟦α⟧ν τον κοσμον· ιιι· ααα· ωωω· εν ω δεεστησας τα παν
20 σαβαωθ· αρβαθιαω· ζαγουρη· ουτοι εισιν οι πρωτοι φανεν (146)
τες αγγελοι· αραθ· αδωναιε· βασημμιαω ο δε πρωτος
αγγελος φωνει ορνεογλυφιστι· αραϊ >·> ο εστιν επι των
> τιμωριων ο δε ηλιος υμνει σε ϊερογλυφισ⌊τ⌋ι λαϊλαμ·
αθι >· αβραιστι δια του αυτου ▭ ανοκ βιαθιαρβα[ρ]βερβι⟦ρ⟧σχι
25 λατουρβουφρουμτρωμ ⊢ λς λεγων προαγω σου κυριε > (151)
εγω επι της βαρεως ανα⟦α⟧τελλων ο δδια σε το δε φυσι
κον σου ▭▭ αιγυπτιστι· αλδαβιαειμ ⊢ θ κατεστιν
δε ο επι της βαρεως φανεις συνανατελλων κυνοκεφ
αλοκερδων ϊδια διαλεκτω ασπαζεται σε λεγων·
30 συ ει: ο αριθμος του ενιαυτου· αβρασξ· ο τε επι του ετερου (156)
μερος ϊεραξ ϊδια φωνη ασπαζεται σε κ/ επιβοαται·
ϊνα λαβη τροφην· χι· χι· χι· χι· χι· χι· χι: τιπ· τιπ· τιπ·
τιπ· τιπ· τιπ· τιπ: ο δε εννεαμορφος ασπαζεται σε
ϊερατιστι>> μενεφωϊφωθ· μηνυει λεγων οτι προαγω σου
35 κυριε· ειπων εκροτησε γ κ/ εγελασεν ο θεος (161)
ζ χαχαχαχαχαχαχα· γελασαντος δε του θεου·
εγεννηθησαν θεοι ζ οιτινες τον κοσμον περιεχουσιν
αν ουτοι γαρ εισιν οι προφανεντες κακχασαντος πρω
τον πρωτον αυτου εφανη φως αυτη κ/ δική`υ´γασεν τα παντ
40 εγενετο δε θεος επι του κοσμου κ/ του πυρος· βεσσυν (166)
βεριθεν βεριο· εκαχασεν δε β· ην παντα ϋδωρ· ακουσας
αηγη ηχου εξεβοησεν κ/ εκυρτανεν κ/ εγενετο το ϋδωρ
τριμεροις· εφανη θεος· εταγη επι της αβ⟦η⟧υσσου χωρις
γαρ αυτου. ουστε αυξει το ϋγρον ουδε απολη γει· εστιν
45 δε αυτου το ονομα· εσχακλεω· συ γαρ ει ωηαιειων (171)
βεθελλε· βουλευομενο⟦ν⟧υ δε το γ κακχασαι εφανη (172)

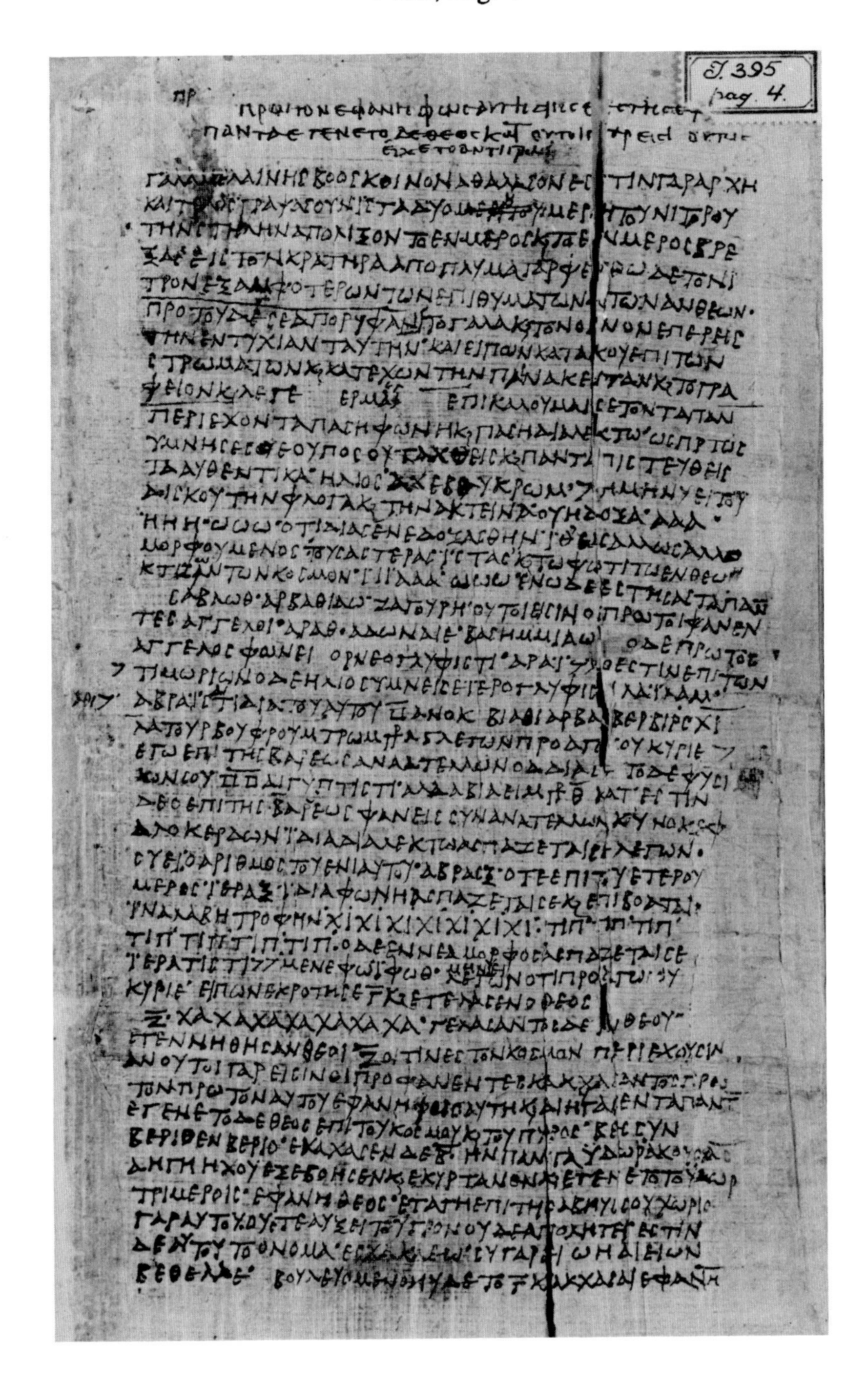

1-3 added by h[2]; 2-3 πρωτον - - - θεοϲ contains variants of 39-40 (see below); 2 καΤ ουτοι γαρ ειϲι refers to 38 (see below) ‖ **1** πρωτον: ω corr. from ο ‖ **4** γαλα μελαινηϲ βοοϲ repeating the last words of pag. 3, line 43 κοινον: ο ex corr. ‖ **6** το εν μεροϲ κ͵ το εν* ‖ **8** αμφοτερων: μ ex corr. ‖ **10** ειπων: ω corr. from ο ‖ **12** ερμαι`..´: the two pieces of writing above αι may have been added by h[2]; the earlier reading `εϲ´, though not certain, seems better than Pr's `κϲ´ (= κοϲ) ‖ **14** ταχθειϲ: θ ex corr. ‖ **17** ϲεν εδοξαϲθην* following the word division proposed by Brinkmann ωϲαλλωϲ: first ω corr. from ε ‖ **18** ϊϲταϲ': the lectional sign may be a small apostrophe or a dot ενθεω⟦.⟧ : ενθεω´ (Pr); below what appears to be a rubbed out letter (probably ν), a dot on the papyrus ‖ **19** κτιζ⟦α⟧ (ω above) ν: ζ corr. from τ ‖ **22** φωνει: ω corr. from ο ‖ **24** αθι >· in marg. refers to βιαθι- (θ ex corr.) further on in the line; at the end of the line -⟦ρ⟧ϲχι* (ρ deleted by a dot above it), not -ρϲχι (Pr et al.) ‖ **29** αλοκερδων: α ex corr. (λ ?) ‖ **38** αν (sc. ανω) ουτοι γαρ ειϲιν: cf. 2 καΤ (sc. κατω) ουτοι γαρ ειϲι ‖ **38-40** πρωτον πρωτον αυτου εφανη - - - εγενετο δε θεοϲ: cf. 1-2 πρωτον εφανη - - - εγενετο δε θεοϲ ‖ **39** φωϲ: ω and perhaps ϲ ex corr. ‖ **41** εκαχαϲεν: κ corr. from χ ‖ **42** εγενετο: not ετενετο as stated by Pr (cf. the γ's in 43 εταγη and 44 αποληγει) ϋδωρ: δ ex corr. ‖ **44** ουϲτε: the small curved stroke is not necessarily a ϲ as stated by Pr αποληγει: the γ is not τ as stated by Pr (see above on 42 εγενετο)

1 εφανη̅ δια της πικρια`ς´ του θεου νους η φρενες (173)
κατεχων καρδιαν· εκληθη ερμης εκληθη σεμε
σιλαμψ εκαχασε το τεταρτον ο θεος κ/ εφανη γεννα
καρτουσα σποραν· εκληθη δε>· βαδητοφωθ·
5 ζωθαξαθωζ· εγελασε το πεμπτον κ/ γελων εστυ (177)
γνασε κ/ εφανη μοιρα κατεχουσα ζυγον μηνηουσα
εν εαυτη το δικ/ον λεγει την βαριν εφ η αναβαινει `α´ν (179)
ατελ⟦ο⟧λων τω κοσμω εστιν δε εφη δ αυτοις ο θ̅ε̅ο̅ς̅
εξ αμφοτερων ειναι το ωκ/·ον παντα δε υπο σε εσται
10 τα εν κοσμω κ/ πρωτη ε⟦.⟧κληθη δε ονοματι αγειω ανα
γραμματιζομενω φοβερω κ/ φρικτω θοριοβρια
ταμμαωραγγαδωωδαγγαρωαμματα` ι´ρβοιροθ· εκακ
χασε το εκτον ουτος ειχ το αντι[illegible] ειναι ο δε ερμης συν (179)
ηρισθη αυτη λεγων εν εμοι εστι⟦ν⟧ το δικ/ον `αν´ των δε μαχομ·
15 ενων ο θεος εφη εξ αμφοτερων το δικ/ον φανησεται παντ̅ (181)
δε υπο σε εστ⟦ιν⟧αι τα εν κοσμω κ/ προτη τω σκηπτρον
ελαβε του κοσμου ης το ◻̅ αναγραμματιζομενον μεγα
εστιν κ/ αγον κ[/] ενδοξον εστι δε τουτο> θοριοβριτ̅ι̅
ταμμα ωρραγγαδωιωδαγγαρρωαμματιτ̅ι̅ρ̅
20 βοιροθ[illegible] μ̅θ̅ εκακχασε το εκτον κ/ ϊλαρυνθη πολυ· (185)
και εφανη κ/ρο[ς] κατεχων σκυπτρον μηνυων βασιλ`ε´ιων
κ/ επεδωκεν τω θεω τω πρωτωκτιστω το σκηπτρον·
κ/ λαβων εφη συ την δοξαν του φωτος περιθεμενος εση
μετ εμε α̅ν̅ο̅χ̅ βιαθιαρ βαρβερβιρ σιλατουρβου
25 φρουμτρωμ [illegible] λς εβδομον κακχασαντος του θεου (191)
εγεν⟦η⟧ (ε) το ψυχη κ/ κακχαζων εδακρυσε ϊτων την ψυχ̅
ε̅σ̅υ̅ρ̅ι̅σ̅ε̅ κ/ εκυρτανε η γη κ/ εγεν`ν´ησε πυθιον δρακοντ̅α̅
ος τα παντα προηδει επεκαλεσε δε αυτον ο θεος ϊλ⟦λ⟧ιλ`λ´ου·
ιλιλλου· ιλιλλου· ιλι·λλου ϊθωρμαρμαραυγηφωχω
30 φωβωχ ϊδων τον δρακοντα ο θεος εθαμβηθη κ/ εποππ (196)
υσε· ποππυσαντος του θεου· εφανη ενοπλος τις ος κα
λειται δανουπχρατορ· βερβαλιβαρβιθ ϊδων
ο θεος παλιν εποτηθη ως ϊσχυροτερον θεωρησας
μηποτε η γη εξεβρασε θεον βλεπων κατω ϊς την γη̅
35 εφη ϊαω εγεννηθη θεος εκ του ηθο`υ´ς ος παντων εστιν (201)
κυριος ηρισεν αυτω ο προτερος λεγων εγω τουτου ϊσχυρο
τερος ειμι ο θεος εφη τω⟦ν⟧ ισχυρω συ μεν απο ποππυς
μου τυνχανεις ουτος δε εξ ηχους εσεθε αμφοτεροι
επι πασης αναγκης εκληθη δε εκτοτε δανουπ
40 χρατορβερβαλιβαλβιθ ϊαω κυριε απομιμουμαι (206)
τα`ι´ς ζ̅ φωναις εισελθε κ/ επακουσον μοι α εε ηηη
ιιιι οοοοο υυυυυυ ωωωωωωω αβρωχ· βραωχ
χραμμαωθ· προαρβαθω. ϊαω ουαεηϊουω

επαν εισελθ⟦.⟧η ο θεος κατω βλεπε κ/ γραφε τα λεγομ
45 μενα κ/ ην διδωσιν σοι αυτου ονομασιαν μ⟦οι⟧η εξελθη̅ς̅ (211)
δε εκ της σκηνησου· αχρι σοι κ/ ⟦κα⟧ τα περι σε ειπη ακρει
β(ω)ος η δε του πολευοντος πυξις περιεχει ουτως γνωτι (213)

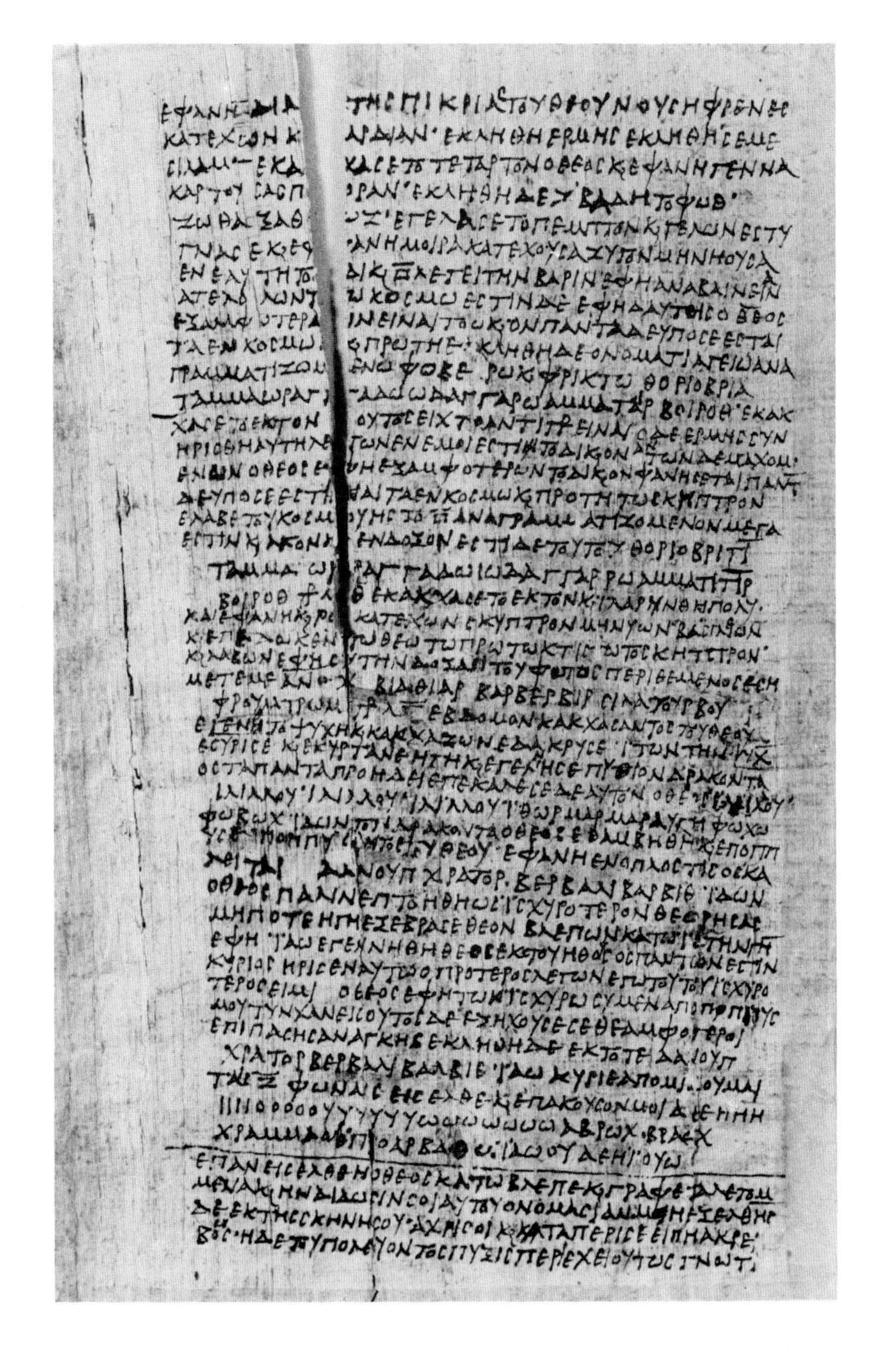

2-3 cεμε|cιλαμψ̣: before the lacuna (the horizontal that appears on the photo is shadow) is a dot (so indicated by RL) that can be interpreted as the beginning of the horizantal of ψ (the codex usually has cεμεcιλαμψ) || **4** βαδητοφωθ: α corr. from λ || **5** εγελαcε: α ex corr. (c ?) || **7-13**. 7 εν εαυτη το δικ⌋ον and 13 ειναι ο δε ερμηc cυν constitute PGM XIII 179; between these two phrases, intrusive glosses (see PGM app. cr., and the remarks of Brinkmann reprinted below on pp. 92-93) || **8** αυτοιc: οι corrr. from η || **9** αμφοτερων: ω corr. from α (αμφοτεραιν Pr) || **11** -ζομενω: ο corr. from ω φοβερω: ο corr. from ω || **14** \`αν´ (sc. ανω) referring to the marginal notation that entered 8-13 || **15** - ενων: ω corr. from α || **16** cκηπτρον: η ex corr. || **18** αγον: γ ex corr. || **20** ϊλαρυνθη: υ corr. from η (not ν) || **22** επεδωκεν: second ε ex corr. || **23** φωτοc: ω ex corr. (ο ?) || **23-24** περιθεμενοc εcη | μετ : περιθεμενοc | εcη μετ Pr || **24** cιλατουρβου: followed by blank space and a thin vertical that is probably not a letter || **26** κακχαζων: second κ ex corr. || **27** πυθιον: θ corr. from τ || **31** ποππυcαντοc: ν corr. from υ || **35** εκ του: εκcτου according to D and Pr, but we may rather have a tau formed ϯ (cf. pag. 10, 3 app. cr.) || **37** ποππυc: ο ex corr. (υ ?), third π ex corr. || **38** εcεθε: εcεc⟨θ⟩ε Pr || **44** ειcελθ⟦.⟧η: deleted ο or ε, if not ειcελθθη || **45** μ⟦ο̣ι⟧η εξελθηc* || **47** περιεχει: first ι added later

1 της θε·οσωφιας ανευρετον ποηcον την βιλων

γνωθι τεκνον τινος ημερα ϊc το ελληνικον κς ελθων εις τη̄ (214)
επταζωνον· μετρει αποκατωθεν κς ευρηcειc> ε`α´ν γαρ ημερα
♁ εις το ελληνικον ☾ πολευει ουτως κς οι ϋcτεριοι οιον

5	ελληνικων	επταζωνος	(217)
	ηλιος	κρο̣νος	
	σεληνη	ζευς	
	αρης	αρης	
	ερμη	ηλιος	
10	ζευς	αφροδειτη	(222)
	αφροδειτη	ερμης	
	κρονος	σεληνη	

τουτων την ακαματον λυσιν κς θεοφιλη προσσεφωνηcα σοι
σοι τεκνον ην ουδε βασειλειc ϊcχυcαν καταλαβεcθαι
15 επιγραψειc δε το νιτρον τω μελανει τω δια των ανθεων των (227)
ζ̄ κς αρωματων ομοιως κς ποιηcειc τον οροβον ον αλληγορικως
εν τη κλειδι μου ειπον εκ των ανθεων κς των επιθυματων
επληρης η τελετη της μοναδος προσεφωνηθη σοι τεκνον
υποταξω δε σοι τεκνον κς ⟦κα⟧ τας χειρας της ϊερας βιβλου ας παν
20 τες οι σοφισται εδεληcαν απο ταυτης της ϊερας κς μακαριδος (232)
βιβλου ως εξωρκιcα σε τεκνον εν τω ϊερω τω εν ϊερωc⟦α⟧ολυμ
γ colυμω πληcθειc της θεοcοφιας ȝ εστι̣ν ουν πρωτη η θαυ
μαcιος αμαυρα λαβων ωον ιερακοιcͺ το ημιcυ αυτου χρυcω
σον το δε αλλ⟦α⟧ο ημιcυ χρειcον κινναβαιρͺει τουτον φορων αθε
25 ωρητος εcη επιλεγων το⟦ν⟧ ονομα επι δε αγωγης ⊓̇ τον ♁ (237)
ε πι δε αγωγης προς τον ♁ ειπε τ̄ το ⊡ αγει γυναικα ανδρ·
κς ανδρα γυναικι: ωcτε θαυμαcαι · ε`α´ν ⟦θε⟧ τινα θεληc μυρικω̄
αι προς ανδρα γυναικα η ανδρα προc γυναικα· λαβων ανφ
ωδευμα κυνος βαλε κα του στροφε⟦.⟧c της ουρας αυτων ειπων
30 το ⊡ γ̄ λεγων διακοπτω τον ♆ απο του ♆ εν δαιμονιζομ⟦ . ⟧εν̄ (242)
ειπηc το ⊡ προcαγων τη ρεινι αυτου θειον κς αcφαλτον ευθεω̄c
λαληcει κς απελευcεται: εαν̄ ειπηc επι ερυcιπελατος χ
ρ`ε´ιcας αυτο κορκοδειλου αφοδευματι ευθεως απαλλαγηc
cεται: εαν̄ ειπηc επι cπαcματος η cυντριματος το ⊡ γ̄
35 καταχρειcας γην μεταδοξους απαλλαξεις : εαν̄ επι (247)
πης επι παντος πετινου εις το ωτιον τελευτηcει
εαν ϊδηc αcπιτα κς θεληc αυτην cτηcαι λεγε cτρεφομεν̄
οτι cτηθι λεγε τε τα ⊡ δ κς cτηcεται θυμοκατοχον προς βαc̄
η μεγειcτανα ϊc⟦λεγ⟧αγε τας χειρας εντος εχων λεγε
40 το ⊡ ο ♆ βαλων αμμα του παλλιου cου η του επικαρcιου κς θαυμ̄ (252)
εαν προς λυcιν φαρμαγ⟦ο⟧ων ϊc ϊερατικον κολλημα γραψαc
το ⊡ φορει· ♁ δειξις λεγε προς ανατολας: εγω ⟦ειμ⟧ ϊμϊ ο
ο επι τ⟦αι⟧ων δυο χερουβειν ανα μεcον των δυο φυcεων ☉ κς
γης ηλιου τε κς ☽ φωτος κς cκοτους νυκτος κς ημερας ποταμω̄
45 κς θα⟦α⟧λαccηc· φανη⟦η⟧`τιθι´ μοι ο αρχαγγελος των υπο τον κοcμον (257)
αυθεντα ηλιε ο υπ αυτον τον ενα κς μονον τεταγμενος
προcταccει cοι ο αιει κς μονος λεγε το ⊡ εαν δε cκυθρω
πος φανη λεγε δος ημεραν δος ωραν δος μηνα δος
ενιαυτον κυριε της ζωηc λεγε το ⊡ εαν θεληc οφιν
50 αποκτειναι λεγε cτηθι οτι cυ ϊ ο αφυφις και λαβων βαϊν (262)
χλωραν κς της καρδιας κρατηcας cχιcον ϊc δυο επιλεγων (263)

1, added by h[1], refers to 22 ‖ **2** ελληνικον: ο corr. from α ‖ **4** ΰϲτεριοι: first ι added later ‖ **7** κρọνοϲ or κρῳνοϲ ‖ **18** επληρηϲ: ε added later, perhaps canceled ‖ **19** βιβλου: υ corr. from ϲ ‖ **21** τεκνον: first ν corr. from ο ‖ **22** The sign in the margin and the one after θεοϲοφιαϲ refer to the notation in the upper margin ‖ **25** το⟦ν⟧: ο corr. from ω ‖ **26** ε added in marg. later after ειπε a deleted τ (RL) or, more likely, a miscopying of the numeral-letter γ (Pr) ‖ **27** γυναικι: κ ex corr. ‖ **28** η ανδρα: last α ex corr. ‖ **35-36** επι|πηϲ: η corr. from υ ‖ **38** λεγε τε τα ō δ*: ō δ seems preferable to ō α (i.e. ονοματα) as read by RLDPr ‖ **39** ϊϲ⟦λεγ⟧αγε: the deleted letters appear to be ⟦λεγ⟧ (RLD) rather than ⟦αεπ⟧ (Pr) ‖ **43** τ⟦αι⟧ων: ω corr. from α

1 ϊc δυο ⟦α⟧ επιλεγων το ονομα ζ̄ κ/ ευθεως cχιcθηcεται (264)
η ρατηcεται· προγνωcιc ηδε· τη προειρ`η´μενη πραξει
τη δια του νιτρου κ/ ωc θεοc διαλαληθηcε cου γαρ παρον
τοc πολλακιc εποιηcα την πραξιν· αβλεψιαc δε ουτωc
5 δευρο μοι το πρωτοφαεc ⟦κ⟧ cκοτοc κ/ κρυψον με προc (268)
ταγματι του οντοc εν ⊙ αυτογενετοροc του ♃ λεγε το ⊡
αλλοc (ω) cε μονον επικαλουμαι τον μονον εν κοcμω διατα
ξαντα θεοιc κ/ ανθρωποιc τον εαυτον αλλαξανταc εαυτον
μορφαιc αγιαιc κ/ εκ μη οντων ειναι ποιηcαντα κ/ εξ ον
10 των μη ειναι· θαυθ αγιοc ὁυ ουδειc υποφερει θεω`ν´ την (273)
αλητινην οψιον ϊδειν του προcωπου· ποιηcον με γεν
εcθαι εν ονομαcι παντων κτιcματων· λυκον κυνα λεον
τα πυρ δενδρον γυπα τειχοc υδωρ η ο θελειc οτι δυνατοc
ει λεγε το ⊡ εγερcιc cωμα⟦ν⟧τοc νεκρου
15 ορκιζω cε πνευμα εν αερι φοιτωμενον ειcελθε. ενπν (278)
ευματ⟦ο⟧ωcον δυναμωcον διαεγειρον τη δυναμει
του αιωνιου θεου cοδε το cωμα κ/ πυριπατειτω επι τον
δε τον τοπων ὁτι εγω ειμι ο ποιων τη δυναμει του
αυθαγειου θεου· λεγε το ⊡ εαν θεληc επανω κορκο
20 δειλου διαβαινειν καθιcαc λεγε ακουε μου ο εν τω υγρω (283)
την διατριβην ποιουμενοc εγω ειμι ο εν ⊙ cχολην
εχων φοιτωμενοc τε εν υδατι· κ/ εν πυρι· κ/ εν αερι
κ/ γη αποδοc χαριcτηριον τηc ημεραc εκεινηc οτε
cε εποιηcα κ/ ητηcω με την ετηcιαν διαπεραc ειc
25 το περα οτι εγω ϊμϊ τιc λεγε το ⊡ δυcμολυτον λεγε (288)
κλυτι μοι ο χρηcτοc εν βαζανοιc βοηθηcον εν αναγκαιc
ελεημων εν ωραιc βιαιοc πολοι δυναμενοc εν κοcμω
ο κτιcαc την αναγκη κ/ τιμωριαν και την βαcανον>>
ιβημ ccc ή λεγε του ♂ το ⊡ `ολον´ απο του χεβυκρωμ
30 χεβυκρωμ ⟦ . υθ⟧ λυθητω παc δεcμωc παcα (293)
βια ραγητω παc cιτηρω παν cοινιον υ παc ϊμαc παν
αμμ παcα α⟦ . ⟧λυcιc αν⟦η⟧υχθητω κ/ ⟦μηδεϊc με⟧
κ/ μηδειc με καταβιαcαιτο οτι εγω ει`μι´ λεγε τ ⊡
πυρ cεβεcαι ακουε πυρ εργον· εργον ευρεματοc θεου
35 δοξα του εντιμου φωcτηροc· cεβεcθ(η)ετι χιονιcθ`η´τι (298)
αυτοc γαρ εcτιν ο αιων ο επιβαλομενοc πυρ (ω)οc
αμιαντον αποcκεδαcθητω μου παcα φηλοξ·
παcα δυναμιc ουcιαc προcταγματι αυτου αει οντοc·
ου μη μου τιγηc πυρ· ου μη μου λυμανηc cαρκα·
40 οτι εγω ϊμι λεγε το ⊡ πυρ μειναι εξορκιζω cε (303)
πυρ δαιμων αιρωτοc αγειου τον αορατον κ/ πολυ
μερη· τον ενα κ/ πᾶταχη ενμειναι εν τω λυχνω
τουτω επι ⟦ε⟧ τονδε τον χρονων· λαμπρυνομενον
⟦κ/ μερηνα μαραινομενον⟧ και μη μαραιμενον
45 τω προcταγματι του ♃ λεγε το ⊡ : ονειροπομπον (308)
ποιcον ιπποποταμων εκ κηρου πυρρου ⟦κυλον⟧
κοιλον κ/ ενθεc ειc την κοιλιαν αυ⟦του⟧του·
βεβετνεηcι κ/ χρυcον κ/ αρκυρον κ/ το
καλουμενον βαλλαθα το των ϊουδαιων (312)

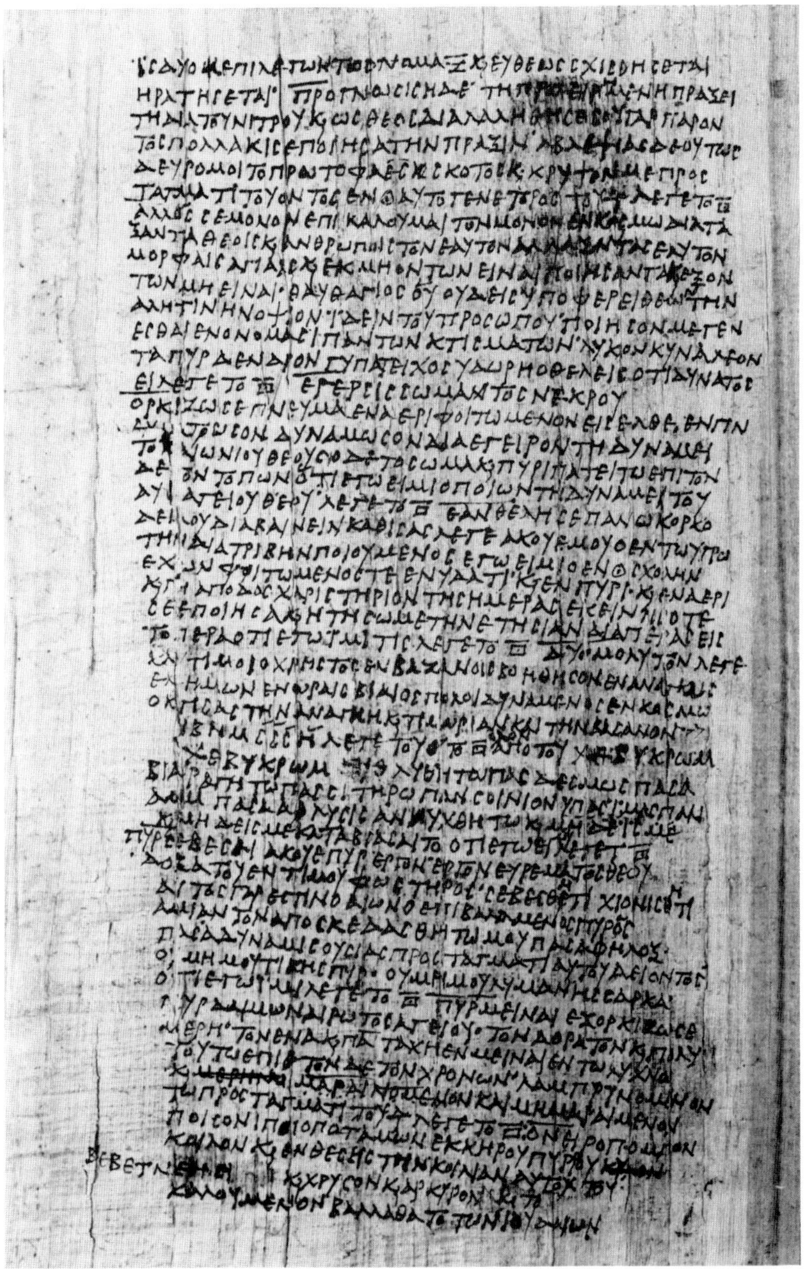

1 το: ο corr. from ω || **2** προειρ`η´written over an erasure || **3** κ͵ ως θεος διαλαληθηcε* || **9** Second κ͵ added later || **14** νεκρου: ε corr. from υ || **17** τοṿ: υ ex corr. cοδε: c not corr. to τ || **19** αυθ̣αγειου: to judge from RL, the θ once could be read more or less in its entirety; before a small lacuna one now sees only its lower left || **22** φοιτωμενοc: first ο corr. from υ || **24-25** διαπεραc ειc το περα* || **26** ο χρηcτοc* αναγκαιc: third α ex corr. || **29** ιβṿμ or ιβη̣μ χεβυκρωμ: εβυ written over three or four washed out letters || **30** ⟦ ̣υθ⟧: not ⟦κλυθ⟧ (Pr) || **32** αμμ: not followed by a lacuna as indicated by Pr || **34** cεβεcαι: α corr. from ε εργον· εργον ευρεματοc* || **36** επιβαλομενοc: first ο corr. from α or λ || **37** αμιαντον and **38** παcα: below the second α of αμιαντον, respectively above cα of παcα, is a dot that is difficult to explain; if it is not accidental, it might indicate expunction of the letter in 37, or it might be a high point in 38 || **39** τιγηc: γ corr. from κ || **40** εξορκιζω: ζ ex corr. || **46** ιπποποταμων: second π corr. from ο πυρρου: second ρ added later || **48** βεβετνεηcι: εηcι written over c. 4 washed letters; another 3 washed out letters follow

1 και ενθες εις την κοιλιαν αυτου· τουβεβετνεηςι κʃ χρυςον
και αργυρον· κʃ τω καλουμενον βαλλαθατατω ϊουδαιων κʃ ςτωλ (313)
ιςον αυτον λινω καθαρω· κʃ θες επι θυρι[δ]τος καθαρας κʃ λαβων
χαρτην ϊερατικον γραψον εις αυτον ζμυρνομελανι κʃ αιμα
5 τι κυνοκεφαλου α βουλαι πεμψαι κʃ ειληςας ςεκενλυιχνιο̅ν̅ (316)
κʃ ενλυχνιαςας λυχνον καθαρον κʃνο̅ επιθες ⟦α⟧ επι τον λυχνον
τον ποδα ϊπποποταμιου και λεγε το⟦ν λογον⟧ ⊡ και πε⟦ν⟧μπι >>
φιλτ̅ρ̅ο̅ν̅ ποτι[μ]κον λαβων ςφ⟦υ⟧ηκαλεοντας τους εν τη αραχνη
λιωςας επι ποτο⊡ δος πειν: εα`ν´ θελης γυνεκα ςου μη ςχε
10 θηναι υπο αλλου ανδρος· λαβων γην πλαςον κορκοδειλον (321)
προςμειξας αυτο μελαν και [ς]ζμυρναν κʃ θες ειςοριον μολιβο̅υ̅
κʃ επιγραφε το⟦ν̣⟧ μεγα ονομα κʃ το τοις γυνεκος κʃ οτι μη ςυν
γενεςθω η ⍋ ητερω ανδρι πλην εμου του ⍋ εςτι τε το ⊡ το επι
γαφομενον εις τους ποδας του ζωδιου βιβιου ουηρ αψαβαρα
15 καςοννακα νεςεβαχ ςφη β̅ χφουρις (326)
ανοιξις· δια του ⊡ ανοιγε ανοιγε τα δ̅ μερη του κοςμου· οτι
ο κυριος της οιγουμενης εκπορευεται χαιρουςιν αρχαγγελοι
δεκανων αγγελων αυτος γαρ ο αιων αιωνος ο μονος κʃ
υπερεχ[ω]ον αθηωρητος διαπορευ⟦αι⟧εται τον τοπον ανοιγου
20 γ θηρα ακουε μοχλε γ αναβαεγη δε`ς´ποτι παντα οςα εχεις εν ςε (331)
αυτη αυτος γαρ εςτιν ⟦αυτηλαφ⟧ο λαιλαφετης και ⟦α⟧αχνου
χος πυρος κρατ⟦η⟧`υ´ντωρ ανυξον λεγει ςοι αχεβ⟦η⟧υκρωμ ή δ □
αλλως ο λογος προς τον ηλιον · εγω ϊμι οπι τον δυο βερουβει
αν`α´ μεςον του κοςμου ⊙ κʃ γης· φωτος κʃ ςκοτο`υ´ς νυκτος κʃ ημερα
25 ημερας· ποταμων κʃ θαλαςης φανητι μοι αρχαγγελε του (336)
θεου ο υπ αυτον τον ενα κʃ μονον τεταγμενος· τουτ[ω]ο δε
τω λογω ποιει ἡ̇ τον δ χαριτηςια⟦ν⟧ ⟦ονι⟧ αγωγας ονειροπομ̣πα·
ον`ε´ιραιτητα δ δειξιν· επιτευκτικα· νικητικα και πα
ντα απλως·
30 απεχεις την ϊεραν ω τεκνον και μακαριδα μονατα (341)
βιβλον ην ουδεις ϊςχυςε· μεθερμ[η]ενευςας η πραξαι (342)
ερρως⟦ε⟧ο τεκνον: μουςεως ϊερα βιλος (343)
αποκριφος επικαλουμεν⟦ος⟧η ογδοη η αγεια (344)

γ ακουε μουχλε εις δυο γενου κλει`δ´ων δια τον
35 αϊααϊν ρυχαθ· αναβαληγη

1-2 και ενθες - - - ϊουδαιων repeated from pag. 7, 47-49; only κʃ ςτωλ in 2 constitutes PGM XIII 313 || **5** ςεκενλυιχνιο̅ν̅: first ι added later || **7** ποδα: π ex corr. ϊπποποταμιου: second ι added later || **9** γυνεκα ςου* : γυνεκας ου RLDPr || **13** ητερω: τ corr. from δ, ω corr. from α || **16** ανοιξις: ο corr. from η || **17** εκπορευεται: third ε ex corr. || **18** αγγελων: first γ corr. from ν || **19** τον: ν added later || **24** μεςον: ς corrected from ο; ο corr. from ω || **25** θαλαςης: η corr. from α || **27** χαριτηςια⟦ν⟧: second α corr. from ο ονειροπομ̣πα: if the doubtful letter is not a μ corr. from π, it is a deleted π || **30** τεκνον: ο corr. from ω || **33** επικαλουμεν⟦ος⟧η: αλ ex corr.

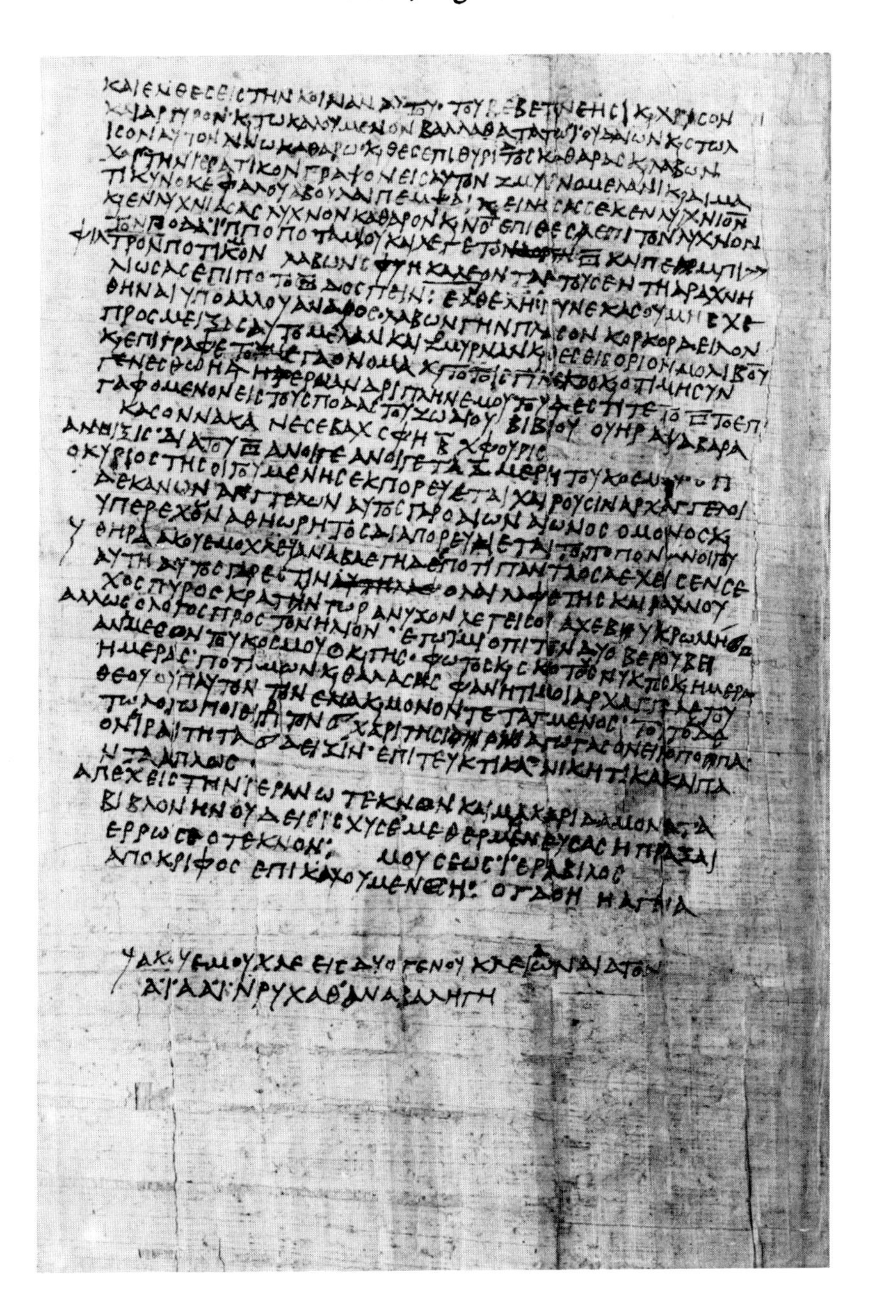

1 ϊτα κυνος αστρου αντοληn ϊτα την της cωθος

εcτιν δε η πραξιc του τα παντα περιεχοντος ονομα (345)
ονοματος· εχει δε cυcτα⟦ζ⟧cιν εν η αυτου μηδεν
παραφιων επιτευξη αγνευcον ημερας· μα:
5 cυνψυφιcαc την ημεραν κ την ωραν εν η μελλι (348)
ιη cεληνη εκλιπειν εν κριω οποτα δε γενηται
εν κριω χαμαικοιτι προ μιας κ θυcιαcαc· επιθυ
ε τα ζ επιθυματα τα αυθεντικα εν οις ηδεται
ο θεος των ζ αcτερων τοις ζ επιθυμαcιν· α εcτιν
10 ταυτα: μαλαβαθρον· cτυραξ· ναρδος· κοcτος (353)
καcια· λιβανος: ζμυρνα· κ τα ζ ανθη των ζ
αcτερων· α εcτιν :ροδον : λωτινον· ναρκιccινον·
κρινινον ερεφυλλινον· λευκοϊνον· cαμψουχινον λιοτρι
βηcαc μετ οινου αθαλλαccου παντα επιθ`υ´ε· φορει
15 δε κινναμωμον αυτω γαρ ο θ την δυναμιν περι (358)
εθηκ. τα ⟦επιθημιατα⟧τα δε θυμιαματα· επιθυε· με
μετα εικοcι μιαν ημεραν ϊν cυνκλειcηc. την δε α
πογευcιν δ`ε´⟦αι⟧ξαι μελαινης βοος γαλα· κ οινον αθαλ
αccον· κ νιτρον ελληνικον· μυνυει δε ειναι αρχην
20 κ τελος: οταν δε ενcτη ή ημερα· παραθες εις την (363)
θυcιαν ξυλα κυπαριccινα· η αποβαλcαμινα ϊνα κ
χωρις των θυμιαματων· η θυcια οcμην παρεχη·
κ cτροβ`ε´ιλου πεντε δεξιους κ λυχνους δυο απτε
κοτυλιαιους· ενα κ ενα του βωμου· ο δε βωμος ες
25 εcτω γεϊνος cκευαcαc δε κ κεμειcαc τους λυχνους (368)
μηκετι επιχες χυννε θυε δε λυκον αλεκτορα
αcπελλον κ αλλον αφες ϊνα αν ειcελθη ο θεος· κ περι
cτεραν ὸϊναου εν βουληται ειcελθων πνευμα λα
βη· κειcθω δε κ μαχαιριν π`α´ρακειcθω δε κ τα θυμι
30 αματα τα ζ κ τα ανθη τα ζ ⟦ηρτιμενε⟧ ηρτιcμεν`α´⟦ωc⟧ (373)
κειται ϊνα εαν ειcελθων βουληθη επιθυειν
ευρη παντα εν ετοιμω· επι τω βωμω δε κ θυcια
κειθ⟦ι⟧ω: η δε απογευcιc εcτιν αυτη οταν μελληc
αποκευεcθαι αλεκτορα θυcον ϊνα οφθονος λαβη
35 πνευμα· κ μελλων απογευεcθαι: επικαλου τον της ωρας
κ τον της ημερας θεον ϊνα εξ αυτων cυcταθηc· ει μη γαρ α`.´υτους καλεcηc (378)
cηc ουκ επακουουcι ως αμυcτηρϊαcτω cοι υπαρχοντι·
ευρηcειc δε κ τους ωρογενειc· κ τους ημερηcιους
και τον επανγκον αυτων· εν τη κλειδι τη μω
40 cεουc· αυτος γαρ αυτους απεcπαcεν : γ το ουν θ (383)
γραψον ϊc το ελληνικον· νιτρον ολον· αντι δε
του ποππυcμου γραψον ιc το ηλνικον νιτρον
κορκορδειλον ϊερακαμορφον· αυτος γαρ αcπαζε
ται τον θεον τετρακιc του· ενιαυτου· ταις των
45 θεων αυθεντικαις νε⟦υ⟧μηνιαις· κατατροπην προς (388)
θεcιν· ιτα τω ϊδϊω υψωματι· ο καλουcι ωρο·υ (389)
γενναν: ϊτα την της cωθεος επιτοληn κατα (390)
προcθεcιν του ϑ και αφαιρεcι τον ποππυς (391)

κ τον της η`μ´ερας κ τον επαναγκον αυτων
50 ϊ εξ αυτον
την τροπην του κοcμου πρωτον την καλουμε
νην προθεcιν

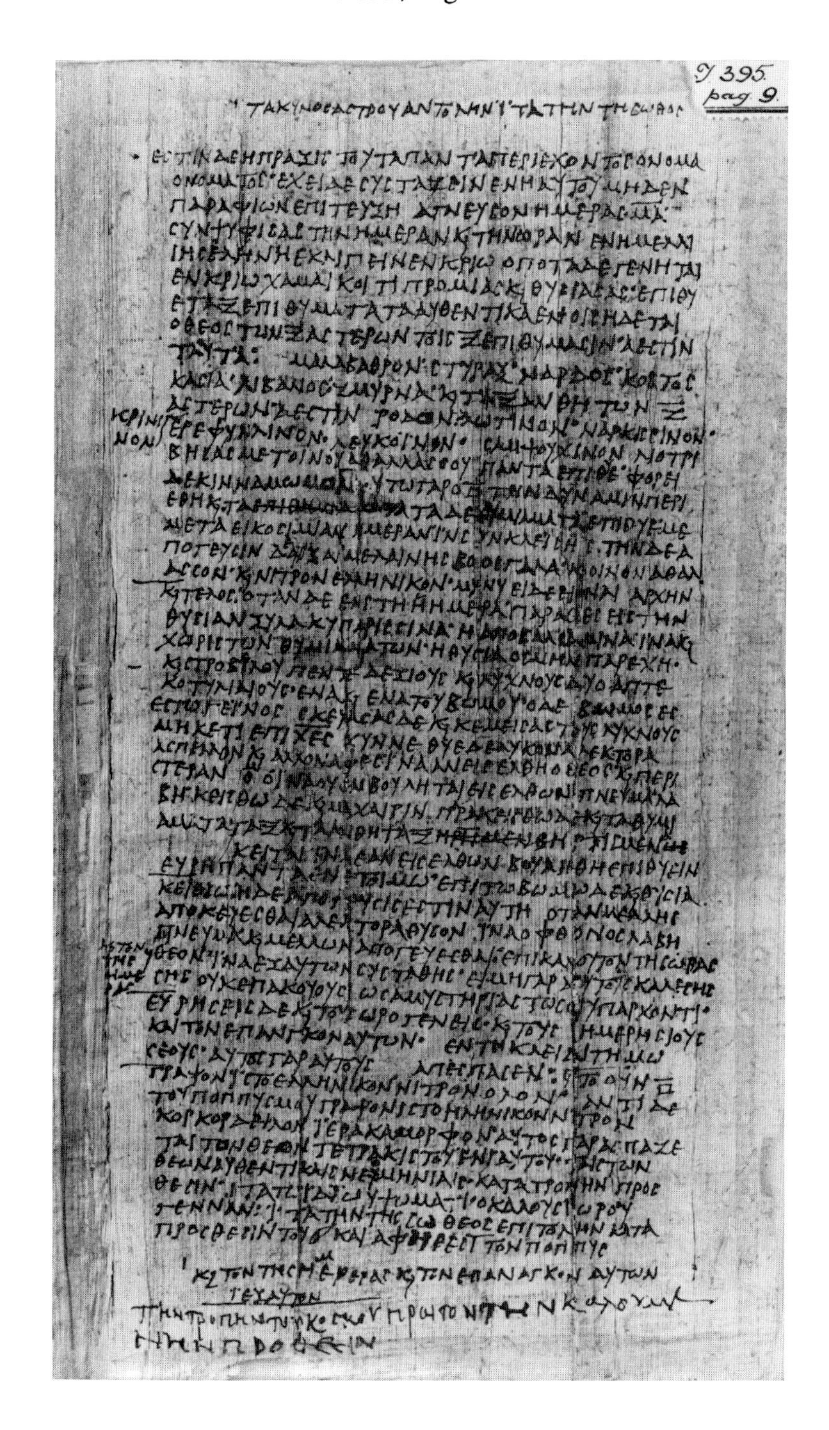

1 was added by h^1 and pertains to the omission in 47 || **3** ϲυϲτα⟦ζ⟧ϲιν: third ϲ corr. from ε || **12** ροδον: second ο corr. from ω λωτινον: λ ex corr. || **13** The addition in the margin is by h^1 || **14** αθαλλαϲϲου: second ϲ corr. from ο || **24** βωμοϲ: ω corr. from α || **27** αϲπελλον with RLD : αϲπειλον Pr || **31** Before κειτα, five washed out letters || **33** κειθ⟦ι⟧ω with RLD : κειϲθω (ϲ ex corr.) Pr; θ perhaps corr. from ϲ; what looks like a deleted ι could be a deleted vertical of τ || **36** For the omission in this line, cf. the marginal addition to the left by h^1 and the marginal 49-50 likewise by h^1 || **43** ϊερακαμορφον: μ ex corr. || **44** τον θεον: both o's corr. from ω's || **45-46** For the omission in these lines and a variant, see 51-52 marg. by h^2 || **47** For the omission in this line, cf. 1 || **48** αφαιρεϲῑ: αιρ ex corr. || **49-50**, added in the margin by h^1, pertain to 36 || **51-52**, added by h^2, pertain to 45-46

1 τον ποππυcμον αποδι·δωcιν· ο δε ενναμορφοc (392)
διδ̄ωcι αυτο τον φθεγ'γον κατ εγεινην την
ωραν ϊνα εκcτου ηχουc υδατοc ο ηχοc αναβη
αυτοc γαρ αυτω cυνεφανη δι ὁ των εννεα
5 θεων των ανατελλοντων cυν τω ϑ ελαβε (396)
ταc μορφαc· κ∫ την δυναμιν. το μεν ουν τηc
κατω τρωπηc· αcθενεcτερον κ∫ αδ⟦η⟧υναμω
τερον ηχον εκπε⟦π⟧μπει εcτιν γαρ γεννα κοc
μου κ∫ ϑ ειτεν κατα προcθεcιν των φωτων
10 υψωθεντων κ∫ των ηχον δυναμικωτερον (401)
εκπε⟦π⟧μπει εν δε τη κυνοc αcτερου
ανατολη κατα δυειν τροπουc των ηχον δυναμι
κωτερον εκπεμπει καθοτι ουκ εχει το
cυνγενε⟦ι⟧c πληcιαζον υδωρ κ∫ οτι η τροπι
15 εcτιν προcθετικοτερα κ∫ τα τηc εcχατηc (406)
αι αφ\αι/⟦ε⟧ρει ο προcεθηκεν τη ανω τερο⟦υ⟧πη εcτιν
γαρ υγρου αποβαcιc κ∫ ϑ ταπεινωcιc
γραφε ουν ανφοτερουc τουc β̄ ζμυρνομελανει
τουτεεcτιν κορκοδειλον ιερακοπροc`ο´πον
20 και αυτω εφεcτωτα τον ενεαμορφων αυτοc (411)
γαρ ο ϊερακοπροcωποc κορκοδειλοc ϊταc δ̄
τροπαc τον θεον αcπαζεται τω ποππυcμω·
αναπνευcαc γαρ ποππυζει εκ το βηθου και
αντιφωνει αυτω ο ταc εννεα μορφαc·>
25 διο αντι του ποππυcμου τον ϊερακοπροcωπον (416)
κορκοδειλον γραφε εcτιν γαρ η πρωτη κερεα του
□̄ ο ποππυcμοc. δευτερον cυριγμοc κ∫ αντι του
cυρικμου δρακον τα⟦δυοποππυ⟧ δακονοντα
κονοντα τη ουραν ωcτε ειναι τα δυο ποππυc
30 μον· κ∫ cυρικμων κ∫ ϊερακοπροcω κορκοδειλον (421)
κ∫ ενναμορφων επανω εcτωτα κ∫ κυκλων του
των δορακοντα κ∫ ταc ζ̄ φωναc εcτιν δε
□□ θ̄ ων προλε⟦γ⟧\ε/ τουc ωρογενειc
cην τη cτηλη· κ∫ τουc ημεριcιουc τουc εφεβδο
35 ματικουc τεταγμενουc κ∫ τουτων τον επαναγγον (426)
ατερ γαρ τουτων ο θεοc ουκ επακουcεται·
αλλ ωc αμυcτηριαcτον ου παραδεξεται ει μη
τον κυριον τηc ημεραc προcειπηc κ∫ τηc ωραc
πυκνοτερον· ην ευρηcειc επι τελουc διταχην·
40 ανευ γαρ αυτων ουδεν απεργαcει εν οιc ε⟦ι⟧χειc (431)
εν την κλειδι βαλε δε εκ των ζ̄ ανθεων
ων ηρτικεc ϊc το μελαν κ∫ ουτοc γραφε ϊc το νι
ιc τρον ϊ\c/τ α δυο μερη ταυτα γραφε κ∫ αποκλυcο
το εν μεροc προc τουcε αποκλυcαι κ∫ τοτε απο
45 κλυcον ϊc τον οινον κ∫ το γαλα πρωτον: θυcαc (436)
τον αλεκτορα κ∫ παντα ετοιμα ποιηcαc
θυcαc δε τον αλεκτορα βαλε παρα μεροc κ∫ τουc
αλλουc δυο κ∫ την περιcτερα ετοιμα θεc
ειτα επικαλου τουc ωρογεειc ωc πρωειρηται
50 κ∫ τοτε αποπιε (441)

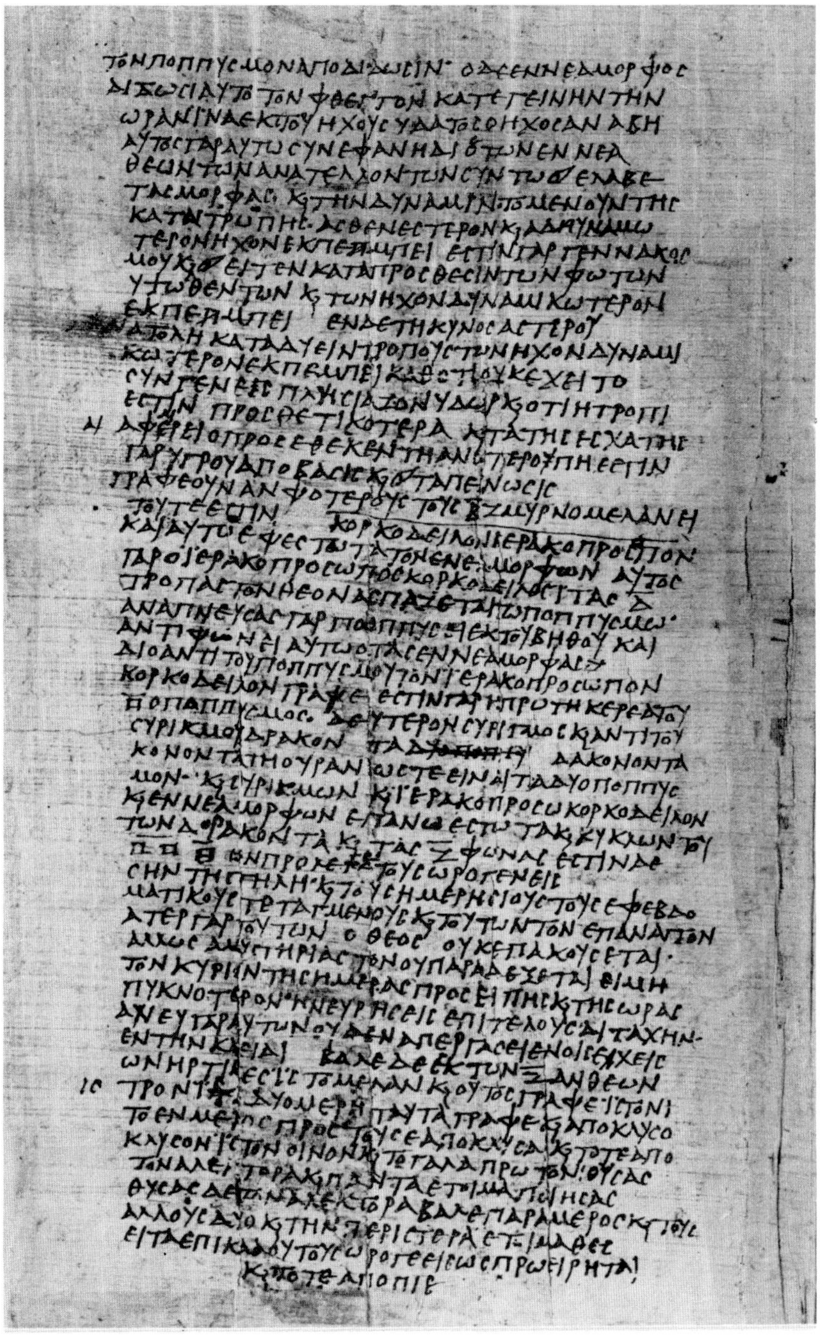

3 εκϲτου: what looks like a small sigma may have arisen from a miscopying of a τ written ϖ (cf. pag. 5, 35 app. cr.) || **7** κατω: ω corr. from α τρωπηϲ: not indicated in PGM app. cr. || **12** α̣νατολη: αν added in the margin by h¹ || **14** πληϲιαζον: η corr. from υ || **20** εφεϲτωτα: ω corr. from ο || **23** ποππυϲει: ο corr. from ω || **27** ποππυϲμοϲ: first ο corr. from α || **30** ϲυρικμων: κ ex corr. || **33** θ̄ ex corr. (η ?) || **34-35** κ͵ τουϲ ημερηϲιουϲ τουϲ εφεβδοματικουϲ* || **36** ο θεοϲ: flanked by blanks || **40** ανευ: ν ex corr. (υ ?) || **42-43** νιlτρον : νlιτρον Pr || **43** ϊτα: τ corr. from δ; because the corrections were not clear, h¹ added ιϲ in the margin || **45** θυϲαϲ: υ ex corr. || **48** περιϲτερα: not περιϲτερᾱ (Pr)

1 και τοτε αποπιε (442)
επικαλουμαι σε παση φωνη· τον τα παντα πε
ριεχοντα κ παση διαλεκτω· υμνω σε εγω>
ως πρωτως υμνησε c⟦ου⟧ε ο υπο σε τακθεις και π
5 παντα πιστευθεις τα αυθεντικα ηλιος αχεβυ⟦κ⟧ (446)
κρωμ: ο μην⟦ο⟧υει του δισκου την φλογα κ την ακ
τινα ου η δοξα ααα ηηη ωωω οτι δια σεν εδοξας
θη αερας ειθ ωσαυτως αλλαομορφουμενος τους αστε
ρας ϊστας κ τω φωτι τω ενθεω κτιζων των κοσμον·
10 εν ω δεεστησας τα παντα ϊιι· ααα· ωωω· σαβαωθ (451)
· αρβαθιαω ζαγουρη ουτοι εισιν οι προτη φανεν
τες αγγελοι ουτοι ⟦εισιν⟧ οι πρ⟦ο⟧(ω)τ⟦ο⟧ως εφησαν ως αρ`α´γα
θεω ως πρ`ω´τοι ανγγελοι αραθ (αραγα) αδωναι βασημμιαω
ο δε προτος ανγγελος σε φωνων ορνεογλυφιστι·
15 αραι· ο εστιν ουαι τω εκθερ`ω´ μου εχθρω μου κ εταξας (456)
αυτων επι των τιμωριων ο δε ηλιος υμνει σε ουτως
ϊερογλυφιστι· λαϊλαμ· αβραϊτι δια του αυτου ō · αναγ
βιαθιαρβαρ· βερβι σχι λα τουρβουφρουμ(γ)τρωμ·
λεγων προαγω σου κυριε εγω ο επι της βαρεως
20 ανατελλων ο ♃ δια σε· το δε φυσικον σου ō (461)
αιγυπτιστι· αλδαβαειμ λεγει την βαριν >
εφ ην αναβαινει ανατελλων τω κοσμω· ο δε
επι της βαρεως φανεις συνανατελλων κυνοκε
φαλοκερδων ϊδϊα διαλεκτω⟦ν⟧ ασπαζεται σε λεγ
25 γων συ ει ο αριθμος του ενιαυτου αβρασαξ· ο δ επι (465)
του ετερου μερους ϊεραξ ϊδια φωνη ασπαζεται
σε κ επιβοαται ϊνα λαβη τροφην· χι·χ·ιχ·ιχ·ιχ·ιχϊχι·>
τιτιτιτιτιτιτι· ο δε εννεαμορφος ασπαζεται
σε ϊερατιστι μενεφωϊφωθ· μην⟦η⟧υων οτι
30 προαγω σου κυριε ειπων εκροτησε γ̄ κ εγελα (471)
απον(θ) σεν ο θεος επιτακις χα χα χα χα χα χα χα·
γελασοντος δε αυτου εγεννηθησαν θεοι ζ̄·
οιτινες τα παντα περιεχουσιν (ο)αυτοι γαρ εισιν
α οι προφαν⟦η⟧εντος· κακχασαντος πρωτως αυτου
35 εφανη φως· αυγη· κ διεστησεν τα παντα·> (476)
εγενετο δε θεος επι του κοσμου κ του πυρος
⟦βεσε⟧ βεσεν βερειθεν βεριο: εκακχασε δε
β δευτερον· ην παντα υδωρ κ η γη ακουσασα
ηχους κ ϊδουσα αυγην· εθαμβηθη· κ εκυρτα
40 νε κ το ϋγρον τριμερες· εγενετο κ εφανη (481)
θεος κ εταγη επι της αβ⟦η⟧υσου· κ δια τουτο το
τουγρον χωρις αυτου ουτε αυξει´ ουτε απολησει·>
> γ εστιν δε αυτου το ō προμσαχα αλεεϊω συ γαρ
> εϊ· ωηαϊ βεθε: βουλευομενο⟦ν⟧υ δε το τριτον
45 γ τριτον κακχασε εφανη δια της πυκριας του (486)
θεου νους κ φρενες· κατεχων καρδιαν· και
εκληθη ερμης δι ου τα παντα μεθερμηνευσται
> εστιν δε επι τον φρενων διου οικονο
μηθη το παν· εστιν δε σεμεσιλαμψ
50 δ επεκακχασε το δ̄ ο θεος κ εφανη γεννα πᾱ (491)
των κρατουσα σποραν δι ης τα παντα εσπαρη·
εκληθη δε βα(δ)τητοφωθ ζωθαξαθωζω
ε εγελασε το ε̄ κ γελων εστυγνασε και εφαν⟦οι⟧(η)η μοι (494)

4 c⟦ου⟧ε* with D (so read also by Pr) : c' RLPr τακθεις: contrary to Pr, κ does not appear to have been corrected to χ || **6** The small letter that follows κρωμ: may be a small sigma or incomplete omicron, perhaps deleted by a small dot above it. μην⟦ο⟧υει: that the deletion of ο extends into the υ was probably inadvertent || **7-8** cεν εδοξαcθη* following the word division proposed by Brinkmann (here pp. 95-96 with note 1) || **12** πρ⟦ο⟧τ⟦ο⟧ωc (ω written above the first ο): second ω corr. from ι || **13** πρ`ω´τοι: οι corr. from η || **16** υμνει: υ corr. from η || **19** λεγων: ω corr. from ε προαγω: ο corr. from ω || **24** cε: c corr. from λ || **26** ετερου: ου corr. from ω || **29** ϊερατιcτι: c added later || **33** οιτινεc: ι corr. from υ || **39** αυγην or αυτην || **42** ουτε: τ corr. from δ

1 εγελασεν το ε̅ κ͵ γελων εστυγνασε και εφανη μοιρα· (495)
κατεχουσαν ⟦δ⟧ζυγων· μηνουσα⟦ν⟧ `εν ε΄αυτη το δικ͵ον
ειναι· ο δε ερμης συνηρισθη αυτη λεγων εν
εμοι εστιν το δικ͵ον των δε μαχομενω̂ν
5 ο θεος εφη αυτοις· εξ ανφο⟦δ⟧τερων τω δικ͵ον (499)
φανησεται· παντα δε υπο σε εσται τα εν κοσμω
κ͵ πρωτη το σκηπτρον ελαβε του κοσμου
εκληθη δε ◻̅ αγιω αναγραμματιζομενον
φοβερω κ͵ φρεικτω ⟦◻̅⟧ εστιν τε τουτο θ`ο΄ριοβριτι κ͵ τα εξης
10 ης το ◻̅ αναγραμματιζομενον μετα εστιν (504)
κ͵ αγιον κ͵ ενδοξον εστιν δε τουτο: θοριοβριτι
πολου ◻ ταμμαω̅ρραγγαδωϊωδαγγαρ`ρ΄ωαμματι
ιχυρον ς τιρβοιροθ⸗ μ̅θ̅ εκακχασε το ς̅ κ͵ ϊλαρυν
το ς̅ κ͵ ϊλαρυνθη πολυ κ͵ εφενη κ͵ρος κατεχων σκη
15 πτρον μηνυων βασιλειοαν κ͵ επεδωκεν τω θεω (509)
τω πρωτωκτιστω το σκηπτρων κ͵ λαβων εφη συ την
δοξαν του φωτος περιθεμενος εση μετ εμε ως προτος
επιδους μοι σκηπτρον· παντα δε υπο σε εσται τα
προοντα· κ͵ τα μελλοντα εν σοι· πασα δυναμις
20 εσται του δε περιθημενο⟦ν⟧υ του φωτος την δοξα (514)
ο Δ ετροπος του φωτος εδειξεν τιναν αυραν·
εφη ο θεος τη βασιλισση συ περιθεμμενη την αυρα̅
του φωτος εση μετ αυ⟦π⟧τον περιεχουσα⟦ν⟧ τα παντα
αυξ⟦υ⟧ησεις τω φωτι απ αυτου λαμβανουσα κ͵ παλι
25 απολυ̂ξεις δι αυτον· συν σοι παντα αυξησει κ͵ (519)
μιωθησεται· εστι δε το ◻ μεγα κ͵ θαυμαστον >
αναγ βιαθιαρβαρ βερβισχιλα τουρ βουφρουντωρμ⸗ λς
ζ εκακχασεν το ζ̅ αισθμησαμενος· κ͵ εγενετο
ψυχη κ͵ παντα εκεινηθη· ο δε θεος εφη παντα
30 κινησεις κ͵ παντα ⟦εκεινηθη⟧ ϊλαρυνθησεται (524)
ερμου σε οδηγουντος· τουτ ειποντος του θεου παντα
εκεινηθη κ͵ επνευματωθη ακαταχετως· ο δε
θεος ϊδων εποππυσεν κ͵ παντα εθαμβηθη κ͵
εφανη δια του ποππυσμου φοβος καθωπλις
35 μενος καλειται δε δανουπ χαρτωρ (529)
βερβαλϊ βαλβιθι ⸗ κς ιτα νευσας
εις την γην εσερισε μεγα κ͵ η γη ηνυγη⟦ι⟧ λα
βουσα τον ηχον εγεν`ν΄ησεν ϊδιον ζωσν δρα
κοντα πυθινον΄ ος προηδει τα παντα ⟦παντα⟧
40 δια τον φθογγον του θεου εστιν δε το ◻̅ μεγα κ͵ (534)
αγιον ϊλιλλουϊ ϊλιλλουϊ ϊλιλλουϊ ϊθωρ >
μαρμαραυγη· φωχω φωβωχ: του δε
φανεντος εκυρτανεν η γη κ͵ υψωθη πολλοι
ο δε πολος ηυσταθησεν· κ͵ μελλων συνερ
45 χ⟦α⟧εσθαι ο δε θεος εφη ϊαω κ͵ παντ`α΄ εσταθη (539)
κ͵ εφανη μεγας θεος· μεγιστος ωστε τα προ
οντα εν τω κοσμω κ͵ τα μελλωντα εστησε κ͵ ου
κετι ουδεν ηταkτησεν των αερων ϊδων δε ο φο
βος αυτου ϊσχυροτερον αντεστη αυτω λεγων σου πρ
50 ωτος ειμι ο δ εφη αλλ εγω παντα εστησα ο δε (544)
θεος εφη συ μεν εξ ηχους ει ουτος δε εκ
φ`θ΄ογγου βελτιον ουν ο φθογγος του ηχους· (546)

5 ανφο⟦δ⟧τερων: ω corr. from ο or α || **8** αναγραμματιζομενον: second μ ex corr. || **10** αναγραμ-: ρ added later or corr. from ι || **11** εςτιν: ν perhaps deleted || **14** ςκη: η corr. from υ || **15** βαςιλειοαν: above the ι is not a diaeresis (Pr), but the end of the descender of the second κϛ in the preceding line επεδωκεν: ω corr. from ο || **16** πρωτωκτιςτω: third ω corr. from α || **25** αυξηςει: η corr. from υ || **28-32** κϛ εγενετο - - - εκεινηθη* || **38** ζωςν: ς (not a damaged ο) over an erasure || **39** προηδει: ι corr. from ε || **44** ηυςταθηςεν: υ corr. from ς || **48** αερων: ω ex corr.

1 εστε δε εξ αμφοτερων η δυναμις σου υστερον (547)
φωνομενο⟦ν⟧υ ως ϊνα παντα σταθη κ/ εκληθη
εκτοτε το ⊡ μεγα κ/ θαυμαστον δανουπ χρατωρ
βερβαλι βαλβιθ ϊαω βουλομενος δε κ/ τω συν
5 τω συνπαρεστωτι τιμην παρασχεσθαι (551)
ως αυτω συνφανεντι εδωκε αυτω τω θ̄
θεων την δυναμιν και προαγειν και την
ισην δυναμιν αυτοις εχειν και την δοξαν >
εκληθη δε των θ̄ θεων αποσπασας συν τη δυν
10 αμει κ/ τας κερεας των □ □ αποσπασας· (556)
βοσβεαδιι και των ζ̄ αστερων αεηιουω
εηιουω ηιουω ιουω ουω υω ω ωυοϊ
ηεα υοιηεα οιηεα ιηεα ηεα εα α >>>
αναγραματιζομενον μεγα κ/ θαυμαστον το δε
15 μεγιστον αυτου ⊡ ο εστιν τουτο μεγα και αγιω (561)
κζ αβωρχ βραωχ χραμμαωθ πρωαρβαθω
ιαω: αλ αβρωχ βραωχ χραμμαωθ πρωαρ
βαθω ϊαω ου αεηιουω: επαν εισελθη ου
ο θεος κατω βλεπε κ/ γρφε τα λεγομενα κ/ ην δι
20 δωσιν σοι αυτου ονομασιαν μη εξελθης δε εκ (566)
της σκηνης σου αχρι σοι κ/ τα περι σε ειπη εστιν
δε η ϊερα στηλη η εν τω νιτρω γραφωμεν⟦ον⟧η
εστιν δε η επικλησις ουτως ως κειται παντα ακειβως
επικαλουμαι σε ⟦τον αυτογενετοθεον⟧
25 τον τα παντα κτισαντα τον παντα μ`ε´ιζονα· (571)
σε τον αυτογεν⟦ε⟧νητον θεον τον παντα ωρωντα
κ/ παντα ακουοντα κ/ μη ορωμενον· συ γαρ εδωκας
την δοξαν κ/ την δυναμιν απασαν·
σεληνη αυξειν κ/ απολησειν κ/ δρομους
30 εχειν ⟦δ⟧ακτους· μηδεν αφαιρησας του προγενε (576)
στερου σκοτους αλλ ϊσοτητα αυτο^ην^ις εμερισας
σου γαρ φανεντος κ/ κοσμος εγενετο κ/ φως εφανη
κ/ δι⟦οι⟧οικονομηθη τα παντα δια σε· διο κ/ παντα
υποτετακται σοι όυ ουδεις θεων δυναται ϊδει
35 την αληθινην μορφην· ο μεταμορφουμενος (581)
εν ταις ορασεσιν αιων αιωνος επικαλουμαι
σε κυριε ϊνα μοι φαν⟦οι⟧η η αλητινη σου
μορφη οτι δουλευω ϋπο τον σον κοσμον
τω σω αγγελω αναγ βιαθιαρβαρ βερβι
40 σχιλατουρβου φρουντωρμ· κ/ τω σω φοβω (586)
δανουπ: χραντορ βελ⟦ι⟧βαλι βαλβιθ ιαω
δια σε συνεστηκεν ο πολος κ/ η γη επικαλουμα σε
κυριε ως οι υπο σου φανενταις θεοι ϊνα δυναμιν
εχωσιν αχεβυκρω`ν´⟦μ⟧ ου η δοξα ·ααα· ηηη·
45 ·ωωω· ιιι: ααα· ·ωωω· σαβαωθ (591)
αρβαθιαω ζαγουρη ο θεος αρα^θ^τ αδωναι·
βασυμμιαω επικαλουμαι σε κυριε ορνεογλυφιτι
αραϊ ϊερογλυφιστι ·λαϊλαμ· > αβραϊστι αναγ
βιαθιαρβαρ βερβι σχιλατουρβουρ φουντωρμ·
50 αιγυπτιστι αλδαβαειμ κυνοκεφαλιστι (596)

2 φωνομενο⟦ν⟧υ: second ο corr. from ω ‖ **7** θεων: ω corr. from ο ‖ **9** εκληθη : first η corr. from υ ‖ **14** αναγραματιζομενον: ζ corr. from μ ‖ **18** ειcελθη: η corr. from ει ‖ **20** μη εξελθηc* ‖ **30** αφαιρηcαc (αι corr. from ερ) : αφαρρηcαc (αρ ex corr.) Pr ‖ **31** αυτ$\overset{\text{ην}}{\text{οι}}$c: there was an attempt to correct οι to η already within the line μεριcαc: followed by punctuation or a deleted letter (c ?) ‖ **33** δι⟦οι⟧οικ-: the first οι was corrected from ω before it was deleted ‖ **36** αιωνοc: ο corr. from ω επικαλουμαι : επικαλουμα⟨ι⟩ Pr ‖ **39** αναγ* (second α corr. from γ) with RLD : ανογ (ο corr. from α) Pr ‖ **41** βελ⟦ι⟧βαλι : βελ⟦β⟧βαλι Pr : βελιβαλι RLD ‖ **42** επικαλουμα : επικαλουμαι Pr ‖ **44** αχεβυκρω`ν´⟦μ⟧: μ deleted by expunction

1 κυνοκεφαλιςτι αβραςξ ϊερακτιςτι χιχιχιχ (597/8)
χιχι τιτιτιτιτιτιτι ϊερατιςτι μενεφωϊ >
φωθ· χαχαχαχαχαχαχα· ϊτα κροτηςον γ̅·
τακ τακ τακ ποππυςον μακρον ϝ̅´
5 ςυριςον μεγαν· τουτεεςτιν επι μηκος ς
ηκε μοι κυριε· αμμωμητος· ο μηδενα τοπο̅ (602)
μιαινω̅ ϊλαρος απημαντος οτι επικαλουμαι
ςε βαςιλευ βαςιλεων τυραννε τυραννων εν
δοξο ενδοξοτατων δαιμων δαιμωνων
10 αλκιμ⟦ω⟧ε αλκιμωτατων· αγιε· αγιων ελθε (607)
μοι προθυμος ϊλαρος απημαντος ειςελευςε
ται αγγελος κ λεγε τω αγελω χαιρε κυριε
κα τελεςον με τοις πραγμαςι μου τουτοις
και ςυςτηςον με· και μηνευςθω μοι
15 τα της γενεςεως μου κ εαν ειπη τι (612)
φαυλον λεγε απαλιψον μου τα της ⟦η⟧ϊμαρ
μενης κακα μη υποςτελλε εεαυτον κ δηλου
μοι παντα· νυκτος κ ημερας· κ παςη ωρα του μη
νος εμοι τω ♃ της ♃ φανητο μοι η αγαθη ςου
20 μορφη· οτι δουλευον υπο τον ςον αγγελον· >> (617)
αναγ βιαθι ο̂ επικαλουμε ςε κυριε αγιε
πολλοιυμνητε μεγαλοτιμε κοςμοκρατωρ
ςαραπι επιβλεψον μου τη⟦ν⟧ γεννεςει κ μη απο
ςτραφης με εμ⟦οι⟧ τον ♃ ον η ♃ τον ειδοτα ςου το αλη
25 αλητινον ◻ κ αυθετικον ονομα″ ωαωηω ωεοη (622)
ιαω ιιιααω θηθουθη ααθω αθηρουωραμια´
θαρ μιγαρνα·χφουρι ιυευηοωαεη α εε ηηη
ιιιι οοοοο υυυυυυ ωωωωωωω ςεμεςιλαμμψ
αεηιουω· ηωουε λινουχα νουχα αρςαμοςι
30 ιςνορςαμ· οθαμαρμιμ· αχυχ χαμμω (627)
επικαλουμαι ςε κυριε ωδικω υμνω υμνω ςου
το αγιον κρτος αεηιουωωω
επιθυε λεγων
> ηιουω · ιουω ουω· υω ω· α εε ηηη ιιιι
35 οοοοο υυυυυυ ωωωωωωω· ωηωαωαω (632)
> οοουο ιιιιαω ιυυυοαηα· υο διαφυλαξον με
απο παςης της ϊδιας μου αςτρικης αναδυςον μου την
ςαπραν ϊμαρμενην μεριςον μοι αγαθα εν τη γεν·
εςι μου· αυξηςον μου τον βιον κ εν πολλοις αγα
40 θοις οτι δουλος ειμι· ςος· κ ϊκετης· κ ημνηςα ςου (637)
το αυθεντικον ◻ κ αγιον κυριε ενδοξε κοςμοκρ
ατωρ· μυρι⟦κ⟧ωτατες μεγειςτε τροφευ· μεριc
τα· ςαραπι· εφελκυςαμενος πνευμα παςαις ταις
αιθης⟦αι⟧εςι φραςον το ◻ το προτον ενι π`ν´ευμτι
45 απηλιωτ· το β̅ ν̊ο το γ̅ βορ`ρ´α το δ̅ λειβι κ αρι (642)
αριςτεραν α̅κθεις το δεξιον γονυ· α̅· γη· α· κ
· ☾· α̅ υδατι· α̅· ουρανω α̅· / ωαωη ωω εοηϊαω
ιιι· ααω θηθουθη ααθω αθηρουω ⸕ λς
εχε δε πινακιδα εις ην μελλης γραφειν οϲ⟦οι⟧ (646)

ΚΥΝΟΚΕΦΑΛΙCΤΙ ΑΒΡΑCΞ ΙΕΡΑΚΤΙCΤΙ ΧΙΧΙΧΙΧ
ΧΙΧΙ ΤΙΤΙΠΙΠΙΠΙΤΙΠΙΠΙ ΙΕΡΑΠΙΟΤΙ ΜΕΝΕΦΩΙ
ΦΩΘ ΧΑΧΑΧΑΧΑΧΑΧΑΧΑΧΑ ΤΑΚΡΟΤΗCΟΝ
ΤΑΚ ΤΑΚ ΤΑΚ ΠΟΠΠΥCΟΝ ΜΑΚΡΟΝ
CΥΡΙCΟΝ ΜΕΓΑΝ ΤΟΥΤΕCΤΙΝ ΕΠΙΜΗΚΟC
Η ΚΕ ΜΟΙ ΚΥΡΙΕ ΑΜΙΜΩΜΗΤΟC Ο ΜΗΔΕΝΑ ΤΟΠΟ
ΜΙΑΙΝΩ ΙΛΑΡΟC ΑΠΗΜΑΝΤΟC ΟΤΙ ΕΠΙΚΑΛΟΥΜΑΙ
CΕ ΒΑCΙΛΕΥ ΒΑCΙΛΕΩΝ ΤΥΡΑΝΝΕ ΤΥΡΑΝΝΩΝ ΕΝ
ΔΟΞΟ ΕΝΔΟΞΟΤΑΤΩΝ ΔΑΙΜΩΝ ΔΑΙΜΟΝΩΝ
ΑΛΚΙΜΩ ΑΛΚΙΜΩΤΑΤΩΝ ΑΓΙΕ ΑΓΙΩΝ ΕΛΘΕ
ΜΟΙ ΠΡΟΘΥΜΟC ΙΛΑΡΟC ΑΠΗΜΑΝΤΟC ΕΙCΕΛΕΥCΕ
ΤΑΙ ΑΓΓΕΛΟC ΚΑΙ ΛΕΓΕ ΤΩ ΑΓΓΕΛΩ ΧΑΙΡΕ ΚΥΡΙΕ
ΚΑΤΕΛΕCΟΝ ΜΕ ΤΟΙC ΠΡΑΓΜΑCΙ ΜΟΥ ΤΟΥΤΟΙC
ΚΑΙ CΥCΤΗCΟΝ ΜΕ ΚΑΙ ΜΗ [illegible]ΥCΘΩ ΜΟΙ
ΤΑ ΤΗC ΓΕΝΕCΕΩC ΜΟΥ ΚΑΙ ΕΑΝ ΕΠΙΤΗ ΤΙ
ΦΑΥΛΟΝ ΛΕΓΕ ΑΠΑΛΛΑΞΟΝ ΜΟΥ ΤΑ ΤΗC ΕΙΜΑΡ
ΜΕΝΗC ΚΑΚΑ ΜΗ ΥΠΟCΤΕΛΛΕ CΕΑΥΤΟΝ ΚΑΙ ΔΗΛΟΥ
ΜΟΙ ΠΑΝΤΑ ΝΥΚΤΟC ΚΑΙ ΗΜΕΡΑC ΚΑΙ ΠΑCΗ ΩΡΑ ΤΟΥ ΜΗ
ΝΟC ΕΜΟΙ ΤΩ ΔΕΙΝΑ ΤΗC ΔΕΙΝΑ ΦΑΝΗ ΤΟΙ ΜΟΙ Η ΑΓΑΘΗ CΟΥ
ΜΟΡΦΗ ΟΤΙ ΔΟΥΛΕΥΩ ΥΠΟ ΤΟΝ CΟΝ ΑΓΓΕΛΟΝ
ΑΝΑΓ ΒΙΒΛΟΙC ΕΠΙΚΑΛΟΥΜΑΙ CΕ ΚΥΡΙΕ ΑΓΙΕ
ΠΟΛΛΟΙ ΥΜΝΗΤΕ ΜΕΓΑΛΟΤΙΜΕ ΚΟCΜΟΚΡΑΤΩΡ
CΑΡΑΠΙ ΕΠΙΒΛΕΨΟΝ ΜΟΥ ΤΗΝ ΓΕΝΕCΙΝ ΚΑΙ ΜΗ ΑΠΟ
CΤΡΑΦΗC ΜΕ ΕΜΟΙ ΤΟΝ ΔΕΙΝΑ ΟΝ Η ΔΕΙΝΑ ΤΟ ΕΙΔΟΤΑ CΟΥ ΤΟ ΑΛΗ
ΘΙΝΟΝ [illegible] ΚΑΙ ΑΥΘΕΝΤΙΚΟΝ ΟΝΟΜΑ
ΙΑΩ ΙΙΙ ΑΑΩ ΘΗΘΟΥΘΗ ΑΑΘΩ ΑΘΗΡΟΥΩ ΘΕΟΗ
ΘΑΡ ΜΙΓΑΡΝΑΧΦΟΥΡΙ ΙΥΕΥΗΟΩΑΕΗΑ ΕΕΗΗΗ
ΙΙΙΙ ΟΟΟΟΟ ΥΥΥΥΥΥ ΩΩΩΩΩΩΩΩ CΑΜΕCΙΛΑΜ
ΑΕΗΙΟΥΩ ΗΩΟΥΕ ΑΙΝΟΥΧΑ ΝΟΥΧΑ ΑΡCΑΜΟCΙ
ΙCΝΟΡCΑΜ ΟΘΑΜΑΡΜΙΜ ΑΧΥΧ ΧΑΜΜΑΩ
ΕΠΙΚΑΛΟΥΜΑΙ CΕ ΚΥΡΙΕ ΩΔΙΚΩ ΥΜΝΩ [illegible] ΥΜΝΩ CΟΥ
ΤΟ ΑΓΙΟΝ ΚΡΑΤΟC ΑΕΗΙΟΥΩ ΩΩ
ΗΙΟΥΩ ΙΟΥΩ ΕΠΙΘΥΕ ΛΕΓΩΝ
ΟΥΩ ΥΩ Ω ΑΕΕΗΗΗ ΙΙΙΙ
ΟΟΟΟΟ ΥΥΥΥΥΥ ΩΩΩΩΩΩΩΩΩ ΟΗΩΑΩΑΩ
ΥΟΟΟΥΟ ΙΙΙΙ ΑΩ ΙΙ ΥΥΥ ΟΑΗ ΑΥΟ ΔΙΑΦΥΛΑΞΟΝ ΜΕ
ΑΠΟ ΠΑCΗC ΤΗC ΓΑΙΑC ΜΟΥ ΑCΤΡΙΚΗC ΙΝΑ ΛΥCΟΝ ΜΟΥ ΤΗΝ
CΑΠΡΑΝ ΕΙΜΑΡΜΕΝΗΝ ΜΕΡΙCΟΝ ΜΟΙ ΑΓΑΘΑ ΕΝ ΤΗ ΓΕΝ
ΕCΙ ΜΟΥ ΑΥΞΗCΟΝ ΜΟΥ ΤΟΝ ΒΙΟΝ ΚΑΙ ΕΝ ΠΟΜΟΙC ΑΓΑ
ΘΟΙC ΟΤΙ ΔΟΥΛΟC ΕΙΜΙ CΟC ΚΑΙ ΙΚΕΤΗC ΚΑΙ ΗΜΝΗCΑ CΟΥ
ΤΟ ΑΥΘΕΝΤΙΚΟΝ [illegible] ΚΑΙ ΑΓΙΟΝ ΚΥΡΙΕ ΕΝΔΟΞΕ ΚΟCΜΟΚΡ
ΑΤΩΡ ΜΥΡΙΩΝΥΜΕ ΤΑ ΤΕC ΜΕΓΙCΤΕ ΤΡΟΦΕΥ ΜΕΡΙ
ΤΑ CΑΡΑΠΙ ΕΦΕΛΚΥCΑΜΕΝΟC ΠΝΕΥΜΑ ΠΑCΑΙC ΤΑΙC
ΜΟΗCΜΗ ΕCΙ ΦΡΑCΟΝ ΤΟ Α ΤΟ ΠΡΟΤΟΝ ΕΝ ΙΠΝΕΥΜΑΤΙ
ΑΠΗΛΙΩΤ ΤΟ Β ΝΟΤΟ Γ ΒΟΡΡΑ ΤΟ Δ ΧΕΙΡΙ ΚΑΙ ΑΡΙ
ΑΡΙCΤΕΡΑΝ ΤΑ ΚΑΙ ΘΕΙC ΤΟ ΔΕΞΙΟΝ ΠΑΝΥ Τ [illegible]
C Α ΥΔΑΤΙ Δ ΟΥΡΑΝΩ Ε ΩΑΩΗ ΩΩ ΕΟΗ ΙΑΩ
ΙΙ ΑΑΩ ΘΗΘΟΥΘΗ ΑΑΘΩ ΑΘΗΡΟΥΩ
ΕΧΕ ΔΕ ΕΠΙ ΝΑΚΙΔΑ ΕΙC ΗΝ [illegible] ΕΛΑΘΗC ΓΡΑΦΕΙ ΝΟC

2 χιχι : ιχιχι Pr || **6** τοπο̄: second ο corr. from ω || **14** cυcτηcον: η corr. from αι || **17** εεαυτον for cεαυτον: not noted previously || **24** cου: υ ex corr. || **25** αυθεν: θ εχ corr. || **43** παcαιc: αι corr. from η || **49** μελληc: η corr. from ει

1		γραφειν οσα σοι λεγει κʃ ⟦μαχαιρει⟧ μαχαιρι	(647)
		ϊνα αν τα θυματα θυης καθαρον απο παντον	
		και σπονδυν ϊνα σπεισης παντα δε σοι	
		παρακεισθω ⟦σ⟧ετοιμας συ δ εν λινοις ϊσθ⟦ε⟧ι	
5		καθαροις εστημμενος ελαϊν⟦ονσ⟧ω στεφανω	(651)
		ανω ποιησας τον πετασον ουτως >	
		λαβων ⟦σι\`ν´δω⟧ σινδονα καθαραν ενγραψων	
		κροσω του $\overline{τξε}$ θεους· ποιησον ως καλυβην	
		υφ ην ⟦ϊστι ϊσθ⟧ ι·σθι τελουμενος εχε δε κʃ	
10		κατα του τραχηλου κινναμωμων⟦ος⟧ αυ	(656)
		το γαρ ηδεται το θειον· κʃ την δυναμιν	
		παρεσχετο	
		εχε δε κʃ εκ ρισης δαφνης τον συνεργουν	
		τα απολλωνα γεγλυμενον ω παρετη	
15		κεν τριπους κʃ πυθιος δρακον γλυψον δε	(661)
		περι τον απολλωνα το μεγα $\overline{□}$ αιγυπτικω	
		σχηματι επι του στηθους· αναγραματιζο	
		μενον τουτο το βαϊνχωωωχωωωχνιαβ˙	
		κατα δε του νοτου ζωδιου το $\overline{□}$ τουτο	
20		ιλιλλου ϊλϊλλου ϊλϊλλου περι τε τον	(666)
		πυθι⟦ν⟧ον δρακοντα κʃ των τριποδα⟦σ⟧	
		ιθωρ μαρμαραυγη φωχω φωβωχ εχε τε	
		τουτον κατα του τραχηλου τελεσας συνερ	
		γουντα παντα μητα του κινναμωμ⟦ων⟧ου	
25		προαγνευσας ουν ως προειπον προ $\overline{ζ}$ ημερ$\overline{ο}$	(671)
		☾ λιποσ^{η}ας κατα την συνοδον χαμωκοιτ^{ω}ον·	
		κατα πρ^{ω}οι ανϊσταμενος το ♂ χα·ιρετισον	
		επι επτα ημερας λεγ⟦^{ω}ο⟧$^{ν·}$καθ ημεραν· τους	
		ωρογενεις θεους προτον ϊτα τους εφεβδο	
30		ματικους τετακμενους μαθον τε τον κυριον	(676)
		της ημερας εκεινον ενοχλει λεγων κυρε	
		τη ποστη καλω των θεον ϊς τας ϊερας θυσιας	
		ουτω ποιων αρχει. της ογδοης ημερας ελθ	
		ων ουν επι την ημεραν· το μεσονυκτιον	
35		οταν ησυχια γενητ⟦ε⟧αι ανα⟦ψ̣ω⟧\`ψα´σ των βομων	(681)
		εχε παρεστωτας σοι τους δυο αλεκτρ⟦ο⟧υονας	
	κʃ	του $\overline{β}$ λυχνους η\`μ´μενους ʽοις ουκετι επιβαλις	
		ελεον αρξαι δε λεγειν την στηλην κʃ το	
		μηστηριων του θεου εχε δε καρτηρα παρακει	
40		μενον εχοντα γαλα μελενης βοος κʃ οινον	(686)
		αθαλασσων εστιν γαρ αρχη και< τελος	
		γραψας ου\`ν´ εις το εν μερος του νιτρου την στηλην	
		ης η αρχη επικαλουμαι σε των παντων μιζων$\overline{α}$	
		κʃ τα ληπα ως προκειται απολιξον κʃ το ετερον	
45	εν	μερος ου ⟦η⟧\`ε´νεγραφ⟦ω⟧η η ζωγραφια βρεξας εις	(691)
		τον καρτηρα αποπλυνε γραφεσθω δε τω νιτρο	
		εξ αμφωτερων. των επιθυματων κʃ των ανθεων	
		προ του⟦το⟧ δε σε απορoφαν το γαλα κʃ το οινον	
		επερις την εντυχιαν ταυτην κʃ ειπων κατακου	
50		επι των στρωματων κατεχων την πινακιδα	(696)

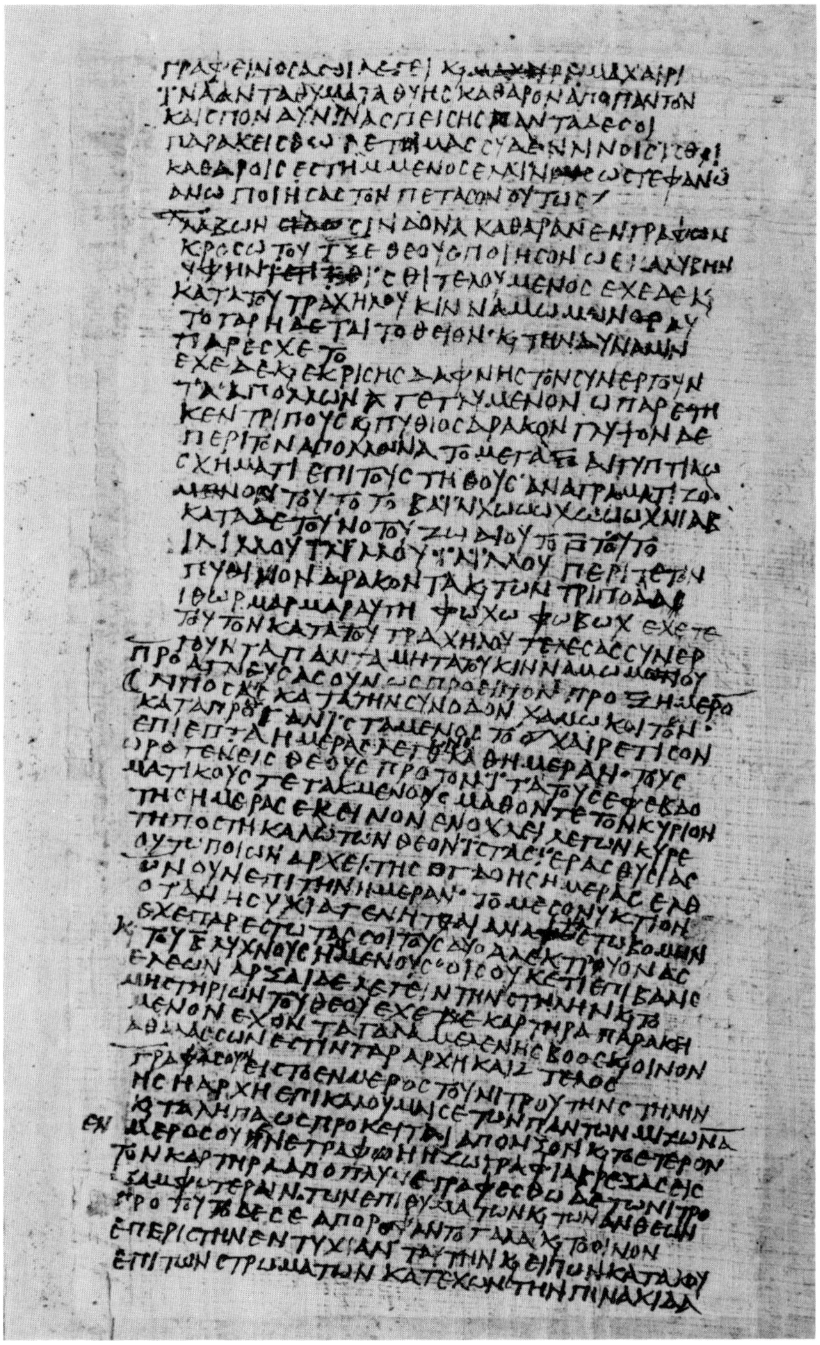

2 αν: α corr. from ε || **3** παντα: π ex corr. || **4** ετοιμας: οι ex corr. || **5** ελαϊν⟦ονϲ⟧ω: the third canceled letter appears to be ϲ (RL) rather than ε (Pr) || **14** απολλωνα: last α corr. from γ || **16** απολλωνα: ω ex corr. || **17** αναγραματιζο followed by an apparently meaningless squiggle and dot || **18** μενον: ε written over εν or ελ; second ν corr. from ϲ || **26** λιποϲ`η´αϲ: η added by a different hand || **27** προ`ω´ι: ι corr. from ϲ || **30** τετακμενουϲ: υ corr. from ο || **33** ογδοηϲ: first ο ex corr. || **35** ανα⟦ψ̣ω⟧`ψα´ϲ or ανα⟦φ̣ω⟧`ψα´ϲ || **39** δε: δ corr. from τ || **44** προκειται: α ex corr. (ε ?) || **47** αμφωτερων: second ω corr. from α

1 ·κ κ/ το γραφιο κ/ λεγε την κοσμοποι⟦ε⟧ιαν ης αρχη (697)
επικαλουμαι σε τον \`τα´ παντ⟦ων⟧α περιεχοντα παση
φωνη κ/ παση διαληκτω⟦ν⟧ κ/ τα εξης οταν δε
ελθης επι τα φωναεντα λεγε: κυριε απομιμου
5 μαι σε ταις ζ̅ φωναις· εισελθε και επακουσον μοι· (701)
ειτα το τον κζ̅ γραματον ◻̅ επιφερε ϊcθι δε ανα
κιμενος επι ψιεθρω θρυινη υπεστρωμενη σοι
χαμαι εισελθοντο⟦ν⟧c δε του θεου μη εν·ατενιζε
τη οψει αλλα της πο⟦δ⟧cι βλεπε αμα δεομενος
10 ως προκειται κ/ ευχαριστον· οτι σε ουχ υπερηφα (706)
νησεν αλλα κατηξιωθης των προς διαρθωσιν
βιου μελλωντων σοι λεγεσθαι ου δε πυνθανο⟦ν⟧ (υ superscript)
δεσποτα τι μοι ειμαρται κ/ ⟦ερει σοι⟧ ερει σοι κ/
περι αστρου κ/ ποιος εστιν ⟦οδω⟧ ο σος δαιμων κ/
15 ο ωροσκοπος κ/ που ζηση· κ/ που αποθανεισαι εαν (711)
δε τι φαυλον ακουσης μη κραξης· μη κλαυσης
αλλα ερωτα ϊνα αυτος· απαλιψη η μεθοδε\`υση´ δυναται
γαρ \`παντα´ ο θεος ουτος πυθομενο⟦ν⟧υ σου ουν τα προτα
ευχαριστι υπερ του αυτο⟦υ⟧ν ακηκοεναι σου·
20 αι κ/ μη παρωρακενε σε ουτω τουτω παντοτε θυσια (716)
ευσε ζε κ/ τας ευεβιας προς⟦π⟧φερε επακουει γαρ σοι
ουτος (ω superscript) η δε του πολευοντος πηξις περιεχει ουτως
γνωθι τεκνον τινος η ημερα εις το ελληνικον
κ/ ελθων εις την ζ̅ζωνον μετρι αποκατω
25 θεν κ/ ευρησις εαν γαρ ημερα ☿ εις το ⟦ηλ⟧ελληνικον (721)
☾ πολευει ουτος κ/ οι ϋστεροι· οιον ελληνικον

		επταζωνος
ηλιος	μουσεως μονας	κρονος
σεληνη	η̅ κ/ ηπομνημα ⟦τον⟧	ζευς
30 αρης	επικαλουμενη	αρης (726)
ερμης	επταζωνος	ηλιος
ζευς		αφροδιτη
αφροδιτι		ερμης
κρονος		σεληνης

35 μουσεως αποκρυφος η̅ εν αλλω ευρων ε⟦ . ε⟧ ⌈ (731)
μουσεως αποκρυφος βιβλος περι του μεγαλου
◻̅ η κατα παντων εν ή εστιν το ◻̅ του διοικουν
τα παν̅ται προσλη\`μ´ψη δε ω τεκνον επι της αυτο
τοψιας τους τε ημερησιους κ/ ωρογενεις θεους
40 ιβ̅ κ/ τους ζ̅ τους κατα βιβλον κ/ τους ιβ̅ λ̅κοντραχας κ/ (736)
τον ⌈ ◻̅ το εν τη προτη βιβ⟦ου⟧ω· ο κ/ εχεις εν τη κλει
δι κειμενον ο εστιν μεγαν κ/ θαυμαστον· αυτο γαρ
εστιν το αναζωπυρουν τας πασας βιβλουσου
προτεθειμαι δε σοι τον ορκον τον κατα βιλον προ
45 κειμενον επιγνους γαρ της βιβλου την δυναμει (741)
κρυψεις ω τεκνον εναποκειται γαρ αυτη το κυ̅
◻̅ ο εστι ογδοος ◻̅ ο τα παντα επιτας⟦ζ⟧ (c superscript) ων κ/ διοι̅
τουτω γαρ ϋπεταγησεν αγγελλοι αρχαγγελοι δαι
μων⟦αι⟧ες δαιμωνισσαι κ/ παντα τα ϋπο την κτις
50 ιν· προκειται δε κ/ ετερα ◻̅ ◻̅ δ̅ τοδε θ̅ ⌈ κ/ το (746)
δε ⟦δ̅⟧ ιδ̅ ⌈ κ/ το (747)

4 ελθηc: η corr. from ει ? || **5** ειcελθε: after ειc the writing is thicker and darker || **11** διαρθωcιν: ω corr. from ο || **16** μη κρ.: η ex corr. (οι ?) κλαυcηc: η ex corr. (ι ?) || **17** αυτοc: c ex corr. (ι ?) απαλιψη: first α corr. from ε || **19** του: υ corr. from ν || **20** αι in marg., probably to correct παρωρακενε ουτω τουτω: ω's corr. from α's || **21** marg. ευcε to correct ευεβιαc ευεβιαc: υ written over π || **23** γνωθι: θ corr. from τ || **26** ελληνικον: κ ex corr. (γ ?) || **29** ζευc: ζ corr. from δ || **31** αρηc: α ex corr. || **32** ζευc: ζ corr. from δ || **33** αφροδιτι: the scribe first wrote αφροδει and then wrote διτ over δε || **35** ε[[̣ε]]ρ* : εχερ or ερ̣ερ Pr || $\overline{37}$ παντων: ω corr. from α || **38** παν̄ται with RLD : πᾱται Pr || **40** βιβλον: ο corr. from ω ιβ: ι ex corr. || **41-42** κλειδι: δ corr. from ζ || **44** προτεθειμαι: θ corr. from τ βιλον: ν corr. from υ || **46** κῡ* with RLD: $\overline{κυ}$ Pr || **47** ογδοοc: γ corr. from κ || **48** τουτω: ω ex corr. || **50** δε: δ corr. from τ

1 κϳ το' των κ̅ς̅ ɼ κϳ το του διοc· χρηcη δε αυτοιc (748)
επι των μη καταυκαζομενον παιδων όπωc
θεωρηcη απαραιτητωc κϳ επι παcον τον λογον
κϳ των χρειων επιcκεψ⟦η̇⟧[ε]ων ηλιομαντιων
5 οcυπυρομαντιον επαν`α´γκω δε χρηcη το με (752)
γαλω □̅ ο εcτιν ογδοαc □̅ ο τα παντα διοικων
τα κϳτα την κτιcιν διχαρ αυτου απλωc ουδεν
τελεcθηcαιται : κρυβε μα⟦θ⟧θων τεκνον το
το ⟦θ̅⟧ θ̅ ɼ αεη· εηι· ουω· κϳ το των `ι´⟦κ⟧δ̅ ɼ ·υcαυ·
10 ·υcαυ· cιαυε· ιαωυc το δε τον κ̅ς̅ ɼ αραββαου (757)
⟦βαου⟧αραβα α̅ διοc □̅ χ̅ο̅ν̅α̅ϊ̅· ι̅ε̅μ̅ο̅ι̅ χ̅ο̅· ε̅ν̅ι̅ μοι
κ̅ α̅·α̅β̅ι̅α̅ c̅ι̅κ̅β̅α̅ φ̅ο̅ρ̅ο̅υ̅ο̅μ̅ επιερθατ
εcτιν κϳ η του ζ̅ ɼ υποδιξειc κϳ ο λογοc ω ϋπακο̅υ̅
ο̅ □̅ δευρο μοι ο εκ των δ̅ αναιμων· ο παντω
15 κρατωρ ⟦ει̣⟧ ο ενφυcηcαc πνευμα ανθρωποιc ειc (762)
ζωην ου εcτιν το κρυ`π´πτον □̅ κϳ αρρητον εν αν
θρωπου cτομαντι λαληθην⟦η⟧αι ου δυναται
ου κϳ όι δαιμωνεc ακουοντεc το □̅ ⟦πτο⟧
πτοωνται ου ο ϑ αρνεβουατ βολλοχ βαρ
20 βαριχ: β βααλα· αμην: πτιδ`α´ιου αρνεβουατ· (767)
κϳ cεληνη αρcενπενπρωουθ βαρβαραιωνη
οcραρ μεμψεχει: οφθαλμοι ειcιν ακαματ̅ο̅ι̅
λαμποντεc εν τ`ε´[αι]c κορ⟦εc⟧αιc των ανθρωπων ω
ουρανοc κεφαλη αιθηρ· δε cωμα· γη δε ποδεc·
25 το δε περι cον υδωρ ο αγαθοc δαιμων· cυ ϊ ο ω (772)
κεανωc ο γεννον αγαθα κϳ τρωφον την οικου
μενην cου δε το αενναων κωμαcτηριων
εν ω καθειcδρυται cου το ζ̅ ɼ □̅ προc την αρ
μονιαν των ζ̅ φθονγον· εχωντων φωναc
30 προc τα κ̅η̅ φωτα τηc ☾ cαραφαρα· αραφ (777)
αι⟦ρ⟧α· · βρααρμαραφα· αβρααχ· περταωμηχ
ακμηχ · ιαω ουεη ιαω ούε ειου αηω
⟦εηου⟧ εηου ϊαω· ου αι · αγαθαι απορροιαι
των αc⟦τ⟧τερων ειcιν δαιμονεc κϳ τυχαι κϳ
35 μοιραι εξ ων διδοται π⟦ολ⟧λουτοc ευγεραc̅ι̅α̅ (782)
ευτεκνια τυχη· ταφαη αγαθη· ου δε κυριε̅
τηc ζω[ηc]η. ο βαcιλευων των ουρανον κϳ τηc
γηc κϳ παντων των εν υαυτοιc ενδιατριβον
των ου η δικϳοcυνη ουκ αποκινιται ου αι
40 μουcαι υμνουcι το ενδοξον □̅ ον δορυφορ (787)
ουcιν ου η̅ φυλακ⟦η⟧εc ηωχω χουχ νουν
ναυνι αμουν αμαυνι ο εχον την αψευ
cτον αληθ`ε´ιαν □̅ cου και πνευμα cου επ αγα
θεοιc ειcελθειc τον εμων νουν κϳ ταc εμε
45 εμαc φρεναc ειc τον απαντα χρονον τηc (792)
ζωηc μου κϳ ποιηcαι`c´ μου παντα τα θελη
ματα τηc ψυχηc μου (794)

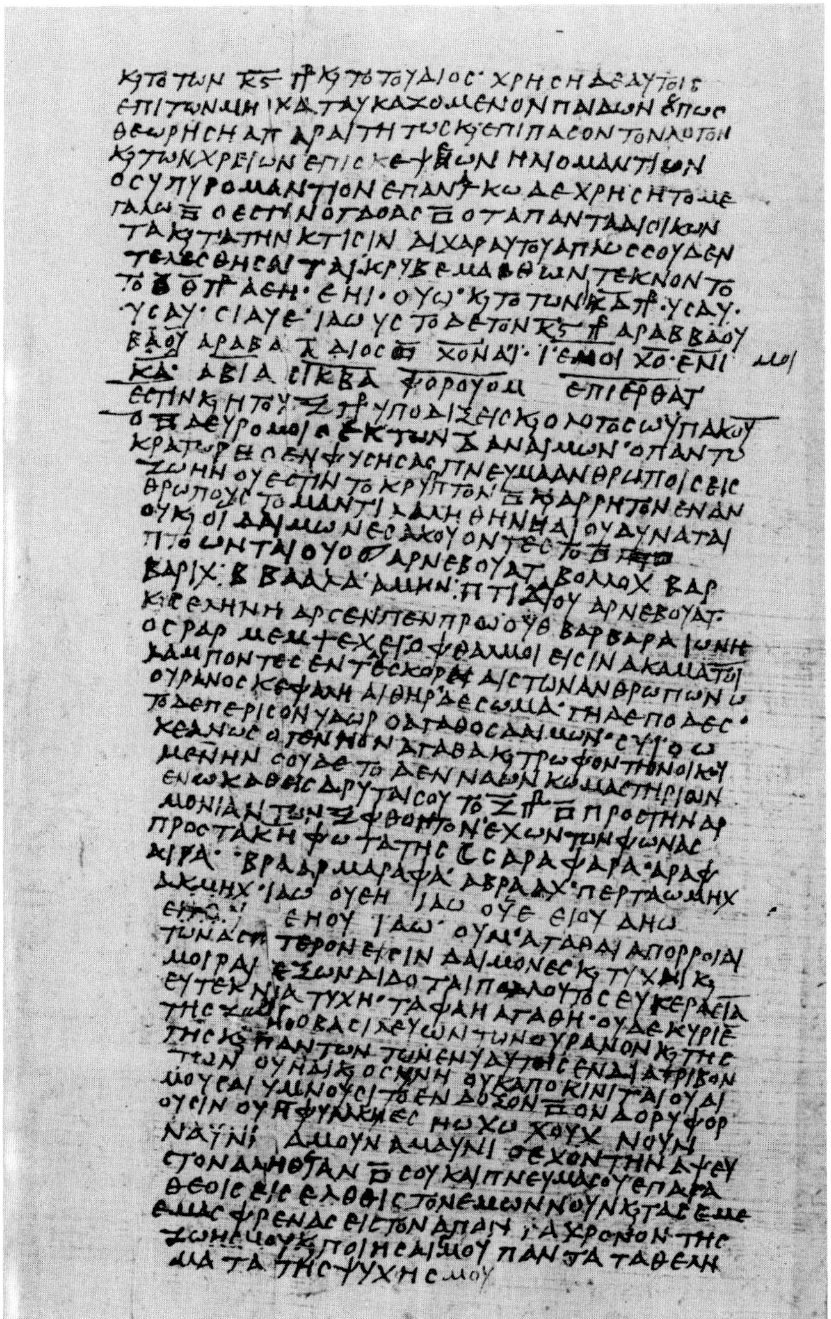

4 επιςκεψ⟦$\overset{ε}{η}$⟧ων with RL : ε over ει Pr ηλιομαντιων: ω ex corr. || **8** κρυβε: κ ex corr (ει ?) **11** ⊡̄ written over ο ι̅ε̅μ̅ο̅ι̅: μ ex corr. μοι in the right margin appears to have been added later || **16** κ ex corr. || **18-19** ⟦πτο⟧πτοωνται* || **21** αρcενπενπρωουθ: ω corr. from ο || **25** cον* || **26** γεννον: second ν ex corr. || **29** φθονγον: first ν ex corr. || **34** τυχαι: α ex corr. (ε ?) || **35** ευγεραcι̅α̅: γ corr. from κ || **38** ναυτοιc: οι corr. from η || **39** δικοcυνη: υ corr. from η || **43** αγα: γ ex corr. || **44** ειcελθειc*: third ε corr. from θ || **47** μου: added later with a thinner pen

c
1 cυ γαρ ει εγω κ⸍ εγω cυ· ο εν ειπω δει γενεcθαι· > (795)
το γαρ ō cου εχω εφυλακτηριον· εν καρδια τη
εμη κ⸍ ου κατιcχυcει με απαcα cαραξ κινουμενη
ουκ αντιταξεται μοι παν πνευμα ου δαιμονιον
5 ου cυνατημα ουδε αλλο τι των καθ αδου πονηρōν (799)
cov δι το `cov´ ō ⟦cου⟧ ο εν τη ψηχη εχω κ⸍ επικαλουμαι κ⸍ εμοι
μοι δια παντος επ αγαθος αγαθος επ αγαθω
αβαcκαντος αβαcκαντος εμοι διτους· υγειαν
cωτηριαν ευποριαν δοξαν νικη κρατος· επαφρδι
10 c⟦α⟧ιαν καταcχες τα ομματα (ω) των αντιδικōūν (804)
των ⟦ε⟧μοι παντων κ⸍ παc⟦α⟧ν εμοι δε δοc χαρι
επι παcη μοι τηc εργοιc· ανοχ ⟦εαιεφαιc⟧ αιεφε
cακτιετη· βιβιου β̄ cφη β̄ νουcι β̄ cεηε β̄
cιεθω β̄ · ουνχουντι⟦ε⟧αι· cεμβι· ϊμενου⟦ε⟧αι
15 βαϊνφνουν· φνου⟦θ⟧θ· τουχαρ: ⟦c⟧cουχαρ· (809)
cαβαχαρ αναθεου ιεου ιον εον · θωθω
ουθρω· θρωρεcε εριωπω ιυη αη · ιαωαι
αεηιουω αεηιουω· ηοχ μανεβϊ χυχιω
αλαραω: κολ· κολ· κατ(δ)ων κολκανθω
20 βαλαλαχ αβλαλαχ οθερχενθε βουλωχ (814)
βουλ⟦ο⟧(ω)χ ⟦οcερ(χ)υεν· θε(νμ)υενθι⟧ οcερχενθε
μεν⟦τι⟧θει οτι (π)ειλημμαι την δυναμιν
του αβρααμ ϊcακ κ⸍ του ϊακ⟦ο⟧(ω)β κ⸍ του μεγαλ
ου ō δαιμωνος ιαω αβλαναθαναλβα: cι
25 αβράθιλαω λα`μ´ψ τηρ ιηι ωω (819)
θεε ποιηcον κυριε περταωμηχ·
χαχμηχ ϊαω ουηε ϊαω ουηε ⟦ιεọ⟧
ιεου ·αηω εηου ιαω
ῡπ̄ο̄δ`ε´ιξειc ειπων ειc τον απυλιοτην ειc τη δεξειᾱ
30 χειρα επι τον ευωνυμον κ⸍ την ευωνυμ ων (824)
ομοιοc χειρα επι τον ευωνυμον λεγ' 'ε ᾱ·
ιc το βορρα την μιαν πυξ προτιναc τηc
δεδεξιαc λεγε ε̄ ειτα ϊc τον λιβα αμφ
ωτεραc ⟦επι του cτομαχου⟧ χειραc
35 προτιναc λεγε η̄ ϊτονοτον αμφο τεραc (829)
επι του cτομαχου λεγε ῑ ϊc την γην επιπ
τυων παραπτομενοc των ακροποδον λε
γε ο̄ αερα βλεπων την χειρα εχων κατα τηc
καρδιαc λεγε ῡ ϊc τον ουρανον βλεπων
40 αφωτεραc ταc χειραc εχων επι τηc κεφ (834)
αληc λεγε ω̄ (835)

3 εμη: ε added in marg. later. cαραξ* already supposed by Brinkmann (here pp. 95-96 note 1) : cδραξ RLDPr || 5 πονηρōν: second ν corr. from υ || 6 The marginal cov and the superlineal `cov´ were added later. || 7 αγαθω: ω corr. from ο || 19 κατ(δ)ων or κατ(α)ων || 20 βουλωχ: ω corr. from ο || 24-37 Close to the end of these lines, a strip of papyrus is missing from the surface; the damage was prior to the writing of the papyrus, and the scribe usually did not write on this damaged section. || 25 λα`μ´ψ: λ ex corr. || 37 ακροποδον*

ϹΥΓΑΡΕΙ ΕΤΩ ΚΑΙ ΕΓΩ ϹΥ· Ο ΕΝ ΕΙΠΩ ΔΕΙ ΓΕΝΕϹΘΑΙ· ΤΟ
ΤΙ ΓΑΡ ΤΟ ϹΟΥ ΕΧΩ ΕΦΥΛΑΚΤΗΡΙΟΝ· ΕΝ ΚΑΡΔΙΑ ΤΗ
ΕΜΗ ΚΑΙ ΟΥ ΚΑΤΙϹΧΥϹΕΙ ΜΕ ΑΠΑϹΑ [illegible] ΑΡΑ ΚΙΝΟΥΜΕΝΗ
ΟΥΚ ΑΝΤΙΤΑΞΕΤΑΙ ΜΟΙ ΠΑΝ ΠΝΕΥΜΑ ΟΥ ΔΑΙΜΟΝΙΟΝ
ΟΥ ϹΥΝΑΝΤΗΜΑ ΟΥΔΕ ΑΛΛΟ ΤΙ ΤΩΝ ΚΑΘ ΑΔΟΥ ΠΟΝΗΡΩΝ
ΤΟ [illegible] Ο ΕΝ ΤΗ ΨΥΧΗ ΕΧΩ ΚΑΙ ΕΠΙΚΑΛΟΥΜΑΙ ΚΑΙ ΕΜΟΙ
ΜΟΙ ΔΙΑ ΠΑΝΤΟϹ ΕΠ ΑΓΑΘΟϹ ΑΓΑΘΟϹ ΕΠ ΑΓΑΘΩ
ΑΒΑϹΚΑΝΤΟϹ ΑΒΑϹΚΑΝΤΟϹ ΕΜΟΙ ΔΙΔΟΥϹ· ΥΓΕΙΑΝ
ϹΩΤΗΡΙΑΝ ΕΥΠΟΡΙΑΝ ΔΟΞΑΝ ΝΙΚΗ ΚΡΑΤΟϹ· ΕΠΑΦΡΟΔΙ
ϹΙΑΝ ΚΑΤΑϹΧΕϹ ΤΑ ΟΜΜΑΤΑ ΤΩΝ ΑΝΤΙΔΙΚΟΥΝ
ΤΩΝ ΕΜΟΙ ΠΑΝΤΩΝ ΚΑΙ ΠΑϹΩΝ ΕΜΟΙ ΔΕ ΔΟϹ ΧΑΡΙ
ΕΠΙ ΠΑϹΗ ΜΟΙ ΤΗϹ ΕΡΓΑϹΙϹ· ΑΝΟΧ [illegible] ΑΙΕΦΕ
ϹΑΚ ΤΙΕΤΗ ΒΙΒΙΟΥ Β ΕΦΗ Β ΝΟΥϹΙ Β ϹΕΘΗ Β
ΡΙΕΘΩ Β ΠΥΝΧΟΥΝΤΙΒΑΙ· ϹΕΜΒ· Ι ΜΕΝΟΥΡΑ
ΒΑΙΝΧΝΟΥΝ· ΦΝΟΥΡΘ· ΤΟΥΧΑΡ ϹΟΥΧΑΡ·
ϹΑΒΑΧΑΡ ΑΝΑΘΕΟΥ ΙΕΟΥ ΙΩΝ ΕΟΝ ΘΩΘΩ
ΟΥΘΡΩ· ΘΡΩΡΕϹΕ ΕΡΙΩΠΩ ΙΥΗ ΑΗ ΙΑΩΑΙ
ΑΕΗΙΟΥΩ ΑΕΗΙΟΥΩ ΜΟΧ ΜΑΝ ΕΒΙ ΧΥΧΙΩ
ΑΛΡΑΩ ΚΟΧ ΚΟΧ ΚΑΤΩΝ ΚΩΛΚΑΝΘΩ
ΒΑΛΑΛΑΧ ΑΒΛΑΛΑΧ Ο ΘΕΡΧΕΝΘΕ ΒΟΥΛΟΧ
ΒΟΥΛΑΧ [illegible] ΟϹΕΡΧΕΝΘΕ
ΜΕΝΘΕΙ ΟΤΙ ΕΙΛΗΜΜΑΙ ΤΗΝ ΔΥΝΑΜΙΝ
ΤΟΥ ΑΒΡΑΑΜ ΙϹΑΚ ΚΑΙ ΤΟΥ ΙΑΚΩΒ ΚΑΙ ΤΟΥ ΜΕΓΑΛ
ΟΥ Θ ΑΔΩΝΑΙ ΙΑΩ ΑΒΛΑΝΑΘΑΝΑΛΒΑ [illegible]
ΑΒΡΑΘΙΑΩ ΑΑΨ ΤΗΡΙΗΙ ΩΩ
ΘΕΕ ΠΟΙΗϹΟΝ ΚΥΡΙΕ ΠΕΡΤΑΩ ΜΗΧ·
ΧΑΧ ΜΗΧ ΙΑΩ ΟΥΗΕ ΙΑΩ ΟΥΗΕ
ΙΕΟΥ ΑΗΩ ΕΗΟΥ ΙΑΩ
ΥΠΟΔΕΙΞΕΙϹ ΕΙΠΩΝ ΕΙϹ ΤΟΝ ΑΠΗΛΙΩΤΗΝ ΕΙϹ ΤΗ ΔΕΞΙΑ
ΧΕΙΡΑ ΕΠΙ ΤΟΝ ΕΥΩΝΥΜΟΝ ΚΑΙ ΤΗΝ ΕΥΩΝΥΜ[ΟΝ] ΩΝ
ΟΜΟΙΟϹ ΧΕΙΡΑ ΕΠΙ ΤΟΝ ΕΥΩΝΥΜΟΝ ΛΕΓΕ Ε Α
ΙϹ ΤΟ ΒΟΡΡΑ ΤΗΝ ΜΑΝ ΠΥΞ ΠΡΟΤΙΝΑϹ ΤΗϹ
ΔΕ ΔΕΞΙΑϹ ΛΕΓΕ Ε ΕΙΤΑ Ι ϹΤΟΝ ΛΙΒΑ ΑΜΦ
ΩΤΕΡΑϹ ΕΠΙ [illegible]ΑΧΟΥ ΧΕΙΡΑϹ
ΠΡΟΤΙΝΑϹ ΛΕΓΕ Η Ι ΤΟΝ ΝΟΤΟΝ ΑΜΦΟ ΤΕΡΑϹ
ΕΠΙ ΤΟΥ ϹΤΟΜΑΧΟΥ ΛΕΓΕ Ι ΙϹ ΤΗΝ ΓΗΝ ΕΠΙΠ
ΤΥΩΝ ΠΑΡΑΠΤΟΜΕΝΟϹ ΤΩΝ ΑΚΡΟΠΟΔΩΝ ΛΕ
ΓΕ Ω ΑΕΡΑ ΒΛΕΠΩΝ ΤΗΝ ΧΕΙΡΑ ΕΧΩΝ ΚΑΤΑ ΤΗϹ
ΚΑΡΔΙΑϹ ΛΕΓΕ Υ Ι ΙϹ ΤΟΝ ΟΥΡΑΝΟΝ ΒΛΕΠΩΝ
ΑΜΦΟΤΕΡΑϹ ΤΑϹ ΧΕΙΡΑϹ ΕΧΩΝ ΕΠΙ ΤΗϹ ΚΕΦ
ΑΛΗϹ ΛΕΓΕ Ω

1		ουρανος			(836)
	ε⁻ α̅	ωωωωωωω	ηηη		
	απηλιω (τ)	ωωωωωωω	νοτ		
	αηρ	υυυυυυ			
5	βορρα	εε οοοοο ηηη	λιψ		(840)

επικαλουμαι σε γη

αεναε κ/ αγενητε τον οντα ενα μονον

το παντ⟦ο⟧ν (ω) συνεχωντα την ολη κτισιν

ον ουδεισ⟦σ⟧ επισταται ον οι □ □ ⳨κυνουσιν̅

10 ου το ◻̅ ουδε θεοι δυναται φθεγεσθαι εν (845)

πνευσον απ εξασθ̅ λωκρατωρ ω υπο σε ον

τι τελεσον μοι το ♁ πραγμα

‾επικαλουμαι σε ως υπο ◻̅ □ αρρενον (ω) φωνη

ϊηω ουε ωηι υε αω ειωυαοη ουη

15 εωα υηι ωεα οηω ιεουαω (850)

‾επικαλουμαι σε ως υπο □ □ θηλειων φωνη

ϊαη εωο ϊου εηϊ ωα εη ιη αι υο·

ηιαυ εωο ουηε ιαω ωαι εουη υωηι

εωα ειπκαλουμαι σε ως οι ανεμοι προαγ

20 αγορευουσιν επικαλουμαι σε ως ο απηλιωτης (855)

βλεπων προ τη απυλιωτην α εε ηηη ιιι (856)

οοοοο υυυυυυ ωωωωωωω‾επικαλουμαι σε (857)

ως ο νο̅ ⳨ τον νοτο βλεπων λεγε ι οο υυυ (858)

η ζ̄ : ωωωω ααααα εεεεεεε (η ζ̄ ⟦ηηη⟧) επικαλουμαι σε ως ο βορ`ε´ας (859+862)

25 ‾στας βλεπων ⳨ τον βρεα λεγε ω αα εεε (863)

ηη̄ηη ιιιι οοοοοο υυυυυυυ επικαλουμα σε

ες την γην ως η γη βλεπων η την γην λεγε ε ηη ιι

οοοο υυυυυ ωωωωωω ααααααα επικαλου

με σε ως ⊙ βλεπω ις των ουρανον λε̄γ̄ε

30 υ ωω ααα εεεε ηηηηη ιιιιι οοοοοοο (868)

επικαλουμοι σε ως ο κοσμος ο̅ υ̅υ ωωω αααα

εεεεε ηηηηηη ιιιιιι τελεσον μοι το ♁ πραγ

ταχυ επικαλουμαι σου το ◻̅ το μεγιστον εν

θεοις ο εαν ειπω τελειον εστ⟦ε⟧αι σισμος ο ♁

35 στησεται κ/ η ☾ ενφωβος εστ⟦ιν⟧αι κ/ η (873)

πετραι κ/ τα ορη κ/ η θαλασσα⟦σ⟧ κ/ οι πωταμοι (874)

κ/ παν υγρον υποπετρωθησεται ο κοσμος (875)

ολος συνχυθησεται· επικαλουμαι σε (876)

επικαλουμαι σε ως ο λιψ στας προς τας (860)

40 λιβα λεγε η ιι οοο υυυυ ωωωωω αααααα (861)

εεεεεεε επικαλουμαι (862)

7 μονον: second ο corr. from α || **11** λωκρατωρ: second ω corr. from α || **13** ◻̅ ex corr. || **17** υο: ο corr. from ω || **20** απηλιωτης: ω corr. from ο || **21** τη απυλιωτην*: ω corr. from ο || **23** ⳨ ex corr. || **24** εεεεεεε (RL), not the expected six ε's (DPr) After επικαλουμαι σε, the writer omitted a part of the text; it is supplied by at the bottom of the page (lines 39-41) || **31** κοσμος: second ο corr. from ω || **33** σου: ο corr. from ε || **36** πετραι: τ corr. from π || **38** επικαλουμαι σε* || **39-41** Added by h[2]; to be supplied after επικαλουμαι σε in 24

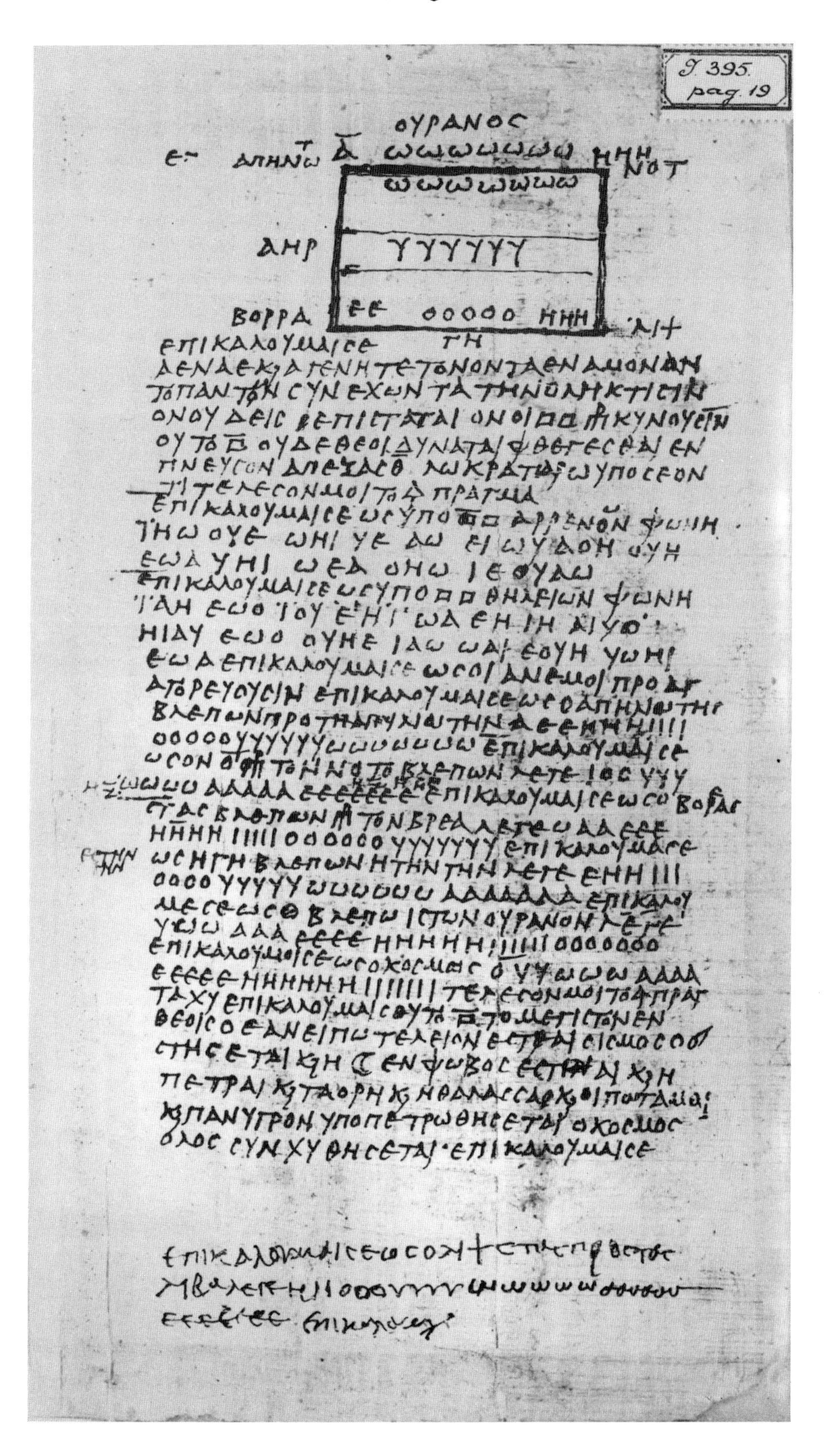

J. 395.
pag. 19

ΟΥΡΑΝΟC
Ε ΑΠΗΛΙΩΤ[illegible] ΩΩΩΩΩΩΩΩ ΗΗΗ ΝΟΤ
ΩΩΩΩΩΩΩΩ
ΑΗΡ ΥΥΥΥΥΥ
ΒΟΡΡΑ ΕΕ ΟΟΟΟΟ ΗΗΗ ΛΙΨ
ΓΗ

ΕΠΙΚΑΛΟΥΜΑΙ CΕ
ΑΕΝΑΕΚΑΙΑΓΕΝΗΤΕ ΤΟΝ ΟΝΤΑ ΕΝ ΑΜΩΝ ΑΝ
ΤΟ ΠΑΝΤΩΝ CΥΝΕΧΩΝ ΤΑ ΤΗΝ ΟΛΗΝ ΚΤΙCΙΝ
ΟΝ ΟΥΔΕΙC ΕΠΙCΤΑΤΑΙ ΟΝ ΟΙ [illegible] ΠΡΟCΚΥΝΟΥCΙΝ
ΟΥ ΤΟ [illegible] ΟΥΔΕ ΘΕΟΙ ΔΥΝΑΤΑΙ ΦΘΕΓΓΕCΘΑΙ ΕΝ
ΠΝΕΥCΟΝ ΑΠΕΥΑCΘ ΝΩ ΚΡΑΤΙCΤΕ ΩΥΠΟCΕΟΝ
ΤΕΛΕCΟΝ ΜΟΙ ΤΟ ΠΡΑΓΜΑ
ΕΠΙΚΑΛΟΥΜΑΙ CΕ ΩC ΥΠΟ [illegible] ΑΡΡΕΝΩΝ ΦΩΝΗ
ΙΗΩ ΟΥΕ ΩΗΙ ΥΕ ΑΩ ΕΙ ΩΥ ΑΟΗ ΟΥΗ
ΕΩΑ ΥΗΙ ΩΕΑ ΟΗΩ ΙΕΟΥΑΩ
ΕΠΙΚΑΛΟΥΜΑΙ CΕ ΩC ΥΠΟ [illegible] ΘΗΛΕΙΩΝ ΦΩΝΗ
ΙΑΗ ΕΩΟ ΙΟΥ ΕΗΙ ΩΑ ΕΗ ΙΗ ΑΙΥΩ
ΗΙΑΥ ΕΩΟ ΟΥΗΕ ΙΑΩ ΩΑΙ ΕΟΥΗ ΥΩΗΙ
ΕΩΑ ΕΠΙΚΑΛΟΥΜΑΙ CΕ ΩC ΟΙ ΑΝΕΜΟΙ ΠΡΟCΑ
ΓΟΡΕΥΟΥCΙΝ ΕΠΙΚΑΛΟΥΜΑΙ CΕ ΩC Ο ΑΠΗΛΙΩΤΗC
ΒΛΕΠΩΝ ΠΡΟC ΤΗΝ ΑΝΑΤΟΛΗΝ ΑΕΕ ΗΗΗΗ ΙΙΙΙ
ΟΟΟΟΟ ΥΥΥΥΥΥ ΩΩΩΩΩΩΩ ΕΠΙΚΑΛΟΥΜΑΙ CΕ
ΩC ΟΝ Ο ΝΟΤΟC ΒΛΕΠΩΝ ΛΕΓΕ ΙΟC ΥΥΥ
ΩΩΩΩ ΑΑΑΑΑ ΕΕΕΕΕΕ ΕΠΙΚΑΛΟΥΜΑΙ CΕ ΩC Ο ΒΟΡΑC
ΤΑC ΒΛΕΠΩΝ [illegible] ΤΟΝ ΒΟΡΡΑ ΛΕΓΕ Ω ΑΑ ΕΕΕ
ΗΗΗΗ ΙΙΙΙΙ ΟΟΟΟΟΟ ΥΥΥΥΥΥΥ ΕΠΙΚΑΛΟΥΜΑΙ CΕ
ΩC Η ΓΗ ΒΛΕΠΩΝ Η ΤΗΝ ΓΗΝ ΛΕΓΕ ΕΗΗ ΙΙΙ
ΟΟΟΟ ΥΥΥΥΥ ΩΩΩΩΩΩ ΑΑΑΑΑΑΑ ΕΠΙΚΑΛΟΥ
ΜΑΙ CΕ ΩC Ο ΒΛΕΠΩΝ ΕΙC ΤΟΝ ΟΥΡΑΝΟΝ ΛΕΓΕ
ΥΩΩ ΑΑΑ ΕΕΕΕ ΗΗΗΗΗ ΙΙΙΙΙ ΟΟΟΟΟΟΟ
ΕΠΙΚΑΛΟΥΜΑΙ CΕ ΩC Ο ΚΟCΜΟC Ο ΥΨ ΩΩΩ ΑΑΑΑ
ΕΕΕΕΕ ΗΗΗΗΗΗ ΙΙΙΙΙΙΙ ΤΕΛΕCΟΝ ΜΟΙ ΤΟ ΠΡΑΓ
ΤΑΧΥ ΕΠΙΚΑΛΟΥΜΑΙ CΕ ΟΥ ΤΟ [illegible] ΤΟ ΜΕΓΙCΤΟΝ ΕΝ
ΘΕΟΙC Ο ΕΑΝ ΕΙΠΩ ΤΕΛΕΙΟΝ ΕCΤΑΙ ΣΕΙCΜΟC Ο
CΤΗCΕΤΑΙ ΚΑΙ Η ΣΕΛΗΝΗ ΕΝ ΦΟΒΟC ΕCΤΑΙ ΚΑΙ Η
ΠΕΤΡΑΙ ΚΑΙ ΤΑ ΟΡΗ ΚΑΙ Η ΘΑΛΑCCΑ ΚΑΙ ΟΙ ΠΟΤΑΜΟΙ
ΚΑΙ ΠΑΝ ΥΓΡΟΝ ΥΠΟΠΕΤΡΩΘΗCΕΤΑΙ Ο ΚΟCΜΟC
ΟΛΟC CΥΝΧΥΘΗCΕΤΑΙ · ΕΠΙΚΑΛΟΥΜΑΙ CΕ

ΕΠΙΚΑΛΟΥΜΑΙ CΕ ΩC Ο [illegible]
[illegible] ΟΟΟ ΥΥΥΥ ΩΩΩΩΩΩΩ
ΕΕΕΕΕΕ ΕΠΙΚΑΛΟΥ

1 επικαλουμαι cε
ιυευο ωαεη ϊαω αεη αι εη αη (877)
ιουω ευη ιεου αηω ηι ωηι ιαη
ιωουη αυη υηα ιωι ωάι ιωαι ωη
5 εε ου ιω ιαω το μεγα ō γενου μοι λυ`γ´ξ (880)
αετος οφιc φ`ο´ινιξ ζωη κρατος αναγη ει
δωλα θ αιω ιωυ ιαω ηιω αα⁄ ουι αααα
ειυ ιω ωη ιαω αιαωη ουεω αιεη
ιουε υεια ειοη ιι υυ εε ηη ωαωη
10 χεχαμψιν^μ^μ χανγαλαc εηιου ιηεα (885)
ωοηοεζ ευωνυ⟦μ⟧μων ζωιωιη⟦ομυ⟧ρ
ωμυρυρομρομοc⁄ οδε προαγων β^τον^ ιαωη
ιι υυ εε ηη οαοη τελειται 'ηλιοιc της ιγ
αυτη η τηλητη του χρυ`c´ου πεταλου εκλιχομ
15 ενου τε κ επιλεγομενο⟦ν⟧υ ιαιαι⟦η⟧υ: οη (890)
ιευοω ηωι εοη ⟦ωιυυ⟧ ωυ⟦α⟧εη· υωη
ωωο· ωωι ωαω εω ωη υω ειτα τελειο
τερον αωευη οαι ιο ηυεωα ουω ωο
ει ου εω οιυυ ⟦ωωο οοωω⟧ ωυυ ωια
20 εε ηηη ιιιι οοοοο υυυυυυ ωωωωωωω (895)
αω εοη εωη ιαα ηωι ηιω εν τηλητη ταυτα
εξακειc λεγεται cυν τοιc παcι ι`ται δε
εν το χρυcω πεταλου προc το εκλεξαι τα ζ
εν τη το αργυρω τα ζ προc τον φυλακτηρον ⟦οηω⟧
25 οηω αω οοο υοιη ου υηι cορ⟦κ⟧ρα (900)
⟦θωμω⟧ θωωμ ⟦χραλαμπυτητη χραλα⟧
χραλαμπηαψατουηγι τα εξηc πτηργυγω
ματα τα επι του χροιcου πεταλου επι` τουτο
αω ⟦ευ⟧ευηοι αργυρου ιοηυεωα
30 αεηιουω αεηιουωω αεηιουωουω (905)
εηιουωα εηιουωωα εηιουωουωα
ηιουωαε ηιουωωαε ηιουωουωαε
ιουωαεη ιουωωαεη ιουωουωαεη
ουωαεηι ουωωαεηι ουωουωαεηι
35 υωαεηιο υωωαεηιο υωουωαεηι (910)
ωαεηιου ωωαεηιου ωουωαεηιου
και τον ουρανον μεγαν αενναον αφθαρτον οηω (912)

6 φ`ο´ινιξ: first ι corr. from υ αναγη: second α ex corr. || 9 ειοη (ο corr. from ω) with RL : ειωη PrD || 10 χανγαλαc: χ ex corr. || 11 ωοηοεζ: first ο corr. from ω || 12 ωμυ-: υ corr. from ο || 13 τελειται 'ηλιοιc: presumably so read (with spiritus) by Pr, who noted nothing in his app. cr.; RL read τελειται`c´ ηλιοιc, which was questioned by D || 16 ιευοω: υ ex corr. || 21 ηωι: ι ex corr. εν τηλητη* || 23 εκλεξαι: α corr. from ε || 24 εν τη το αργυρω* || 31 εηιουωωα: second ω corr. from ο || 33 ιουωαεη: ω corr. from ο || 34 ουωαεηι: ο ex corr. || 36 ωουωαεηιου: first ω added later || 37 αενναον: first α ex corr. or smudged

ΕΠΙΚΑΛΟΥΜΑΙ CΕ

ΙΥΕΥΟ ΩΑΕΗ ΙΑΩ ΑΕΗ ΑΙ ΕΗ ΑΗ
ΙΟΥΩ ΕΥΗ ΙΕΟΥ ΑΗΩ ΗΙ ΩΗΙ ΙΑΗ
ΙΩΟΥΗ ΑΥΗ ΥΗΑ ΙΩΙ ΩΑΙ ΙΩΑΙ Ω Η
ΕΕ ΟΥ ΙΩ ΙΑΩ ΤΟ ΜΕΤΑ Β ΓΕΝΟΥ ΜΟΙ ΛΥΞ
ΑΕΤΟC ΟΦΙC ΦΟΙΝΙΞ ΖΩΗ ΚΡΑΤΟC ΑΝΑΓΚΗ ΕΗ
ΑΩΛΑΘ ΑΙΩ ΙΩΥ ΙΑΩ ΗΙΩ ΑΑΟΥΙ ΑΑΑΑ
ΕΙΥ ΙΩ ΩΗ ΑΩ ΑΙΑΩΗ ΟΥΕΩ ΑΙΕΗ
ΙΟΥΕ ΥΕΙΑ ΕΙΟΗ ΙΙΥΥΕΕ ΗΗ ΩΑΩΗ
ΧΕΧΑΜ[illegible] ΧΑΝΓΑΛΑC ΕΗΙΟΥ ΙΗΕΑ
ΩΟΗΟΕ ΖΕΥΩΝ [illegible] ΖΩΙΩΙΗ [illegible]
Ω [illegible] ΡΟΙ ΡΟΩC ΟΔΕ ΠΡΟΑΓΩΝ ΤΟΝ Β ΙΑΩΗ
ΙΙΥΥ ΕΕΗΗ ΟΑΩΗ ΤΕΛΕΙΤΑΙ ΗΛΙΟΙC ΤΗC ΙΓ
ΑΥΤΗ Η ΤΗΛΕΤΗ ΤΟΥ ΧΡΥCΟΥ ΠΕΤΑΛΟΥ ΕΚ ΛΥΧΟΜ
ΕΝΟΥ ΤΕ Κ ΕΠΙ [illegible] ΙΑΙΑΙ [illegible] ΟΗ
ΙΕΥΟΩ ΗΩΙ ΕΟΗ [illegible] ΩΥΑΕΗ ΥΩΗ
ΩΩΟΩΩΙ ΩΑΩ ΕΩ ΩΗΥΩ ΕΙΤΑ ΤΕΛ[illegible]
ΤΕΡΟΝ ΑΩΕΥΗ ΟΑΙ ΙΑ ΗΥΕΩΑ ΟΥΩ ΩΟ
ΕΙ ΟΥΕΩ ΟΙΥΥ [illegible] ΩΥΥ ΩΙΑ
ΕΕΗΗΗΙΙΙΙ ΟΟΟΟΟΥΥΥΥΥΥΥ ΩΩΩΩΩΩΩ
ΑΩ ΕΟΗ ΕΩΗ ΙΑΑ ΗΩΑ ΗΙΩ ΕΝ ΤΗ Α ΤΗ ΤΑΥΤΑ
ΕΞΑΚΙC ΛΕΓΕΤΑΙ CΥΝ ΤΟΙC ΠΑCΙ [illegible] ΤΑ ΔΕ
ΕΝ ΤΩ ΧΡΥCΩ ΠΕΤΑΛΟΥ ΠΡΟC ΤΟ ΕΚΛΕΞΕ[illegible]ΤΑΞ
ΕΝ ΤΗ ΤΟ ΑΡΓΥΡΩ ΤΑΞ ΠΡΟC ΤΟΝ ΦΥΛΑΚΤΗΡΙΟΝ ΘΗΩ
ΟΗΩ ΑΩ ΟΟΟ ΥΟΙΗ ΟΥ ΥΗΙ CΟΡ ΚΡΑ
[illegible] ΘΩΩΜ ΧΡ[illegible]Η ΧΡΑΛ
ΧΡΑΛΑΜΠΗΑ [illegible] ΟΥΗΓ ΙΤΑ ΕΞΗC ΙΠ ΤΗΡ ΥΓΩ
ΜΑΤΑ ΤΑ ΕΠΙ ΤΟΥ ΧΡΥCΟΥ ΠΕΤΑΛΟΥ ΕΠΙ ΤΟ ΤΟΥΤΟ
ΑΩ [illegible] ΕΥ ΜΟΙ ΑΡΓΥΡΟΥ ΙΟΗΥΕΩΑ

ΑΕΗΙΟΥΩ
ΕΗΙΟΥΩΑ
ΗΙΟΥΩΑΕ
ΙΟΥΩΑΕΗ
ΟΥΩΑΕΗΙ
ΥΩΑΕΗΙΟ
ΩΑΕΗΙΟΥ

ΑΕΗΙΟΥΩΩ
ΕΗΙΟΥΩΩΑ
ΗΙΟΥΩΩΑΕ
ΙΟΥΩΩΑΕΗ
ΟΥΩΩΑΕΗΙ
ΥΩΩΑΕΗΙΟ
ΩΩΑΕΗΙΟΥ

ΑΕΗΙΟΥΩΟΥΩ
ΕΗΙΟΥΩΟΥΩΑ
ΗΙΟΥΩΟΥΩΑΕ
ΙΟΥΩΟΥΩΑΕΗ
ΟΥΩΟΥΩΑΕΗΙ
ΥΩΟΥΩΑΕΗΙ
Ω ΟΥΩΑΕΗΙΟΥ

ΚΑΙ ΤΟΝ ΟΥΡΑΝΟΝ ΜΕΤΑ Ν[illegible] ΕΝ ΝΑΟΝ ΑΦΘΑΡΤΟΝ ΟΗΩ

1 και τον Θ μεγαν `α´εναον αφθαρτον οηω αω (913)
θοου οιη ουυηι ορχρα θωωμχρα ϲεμεϲ·ιλαμ
ψ ατουητι δρουϲουαρ ⟦δρουϲουαρ⟧ δρουηϲρω
γνιδα βαταιανα αγγαϲτα αμαϲουρουρ ουανα
5 απαιϲτου ουανδα ωτι ϲ`α´τραπερκμηφ· α`λ´α διονυ (917)
ϲε μαγαρ ⟦ευε υου⟧ ευιε υου υυυ θηνωρ διαγων
υυυ ⟦ε⟧ευευευ υε ουω ξερθεναθια θαφθω
οικρου·ωρ αραξ γω ω ααα εραρηραυ: ιηρ·
θουθ αϲηϲεναχθω λαρνιβαι αιοω κουφιω
10 ιϲωθωνι παθενι ιεεενθηρ πα⟦χ⟧νχοχιταϲ (922)
ουε⟦ε⟧τιαϲουθ παχθεεϲθ υεϲεμμιγαων
ορθω βαυβω νοηραδηρ ϲοιρε″ ϲανκαν
θαρα ερεοχιγαλ αππαρακεωφ ϊαω ϲαβα`ω´θ
αβρατιαωθ αδωναι ζαγουρη αρϲαμοϲι ρανα
15 κερνωθ λαμψουωρ διο ϲυνιϲταμαι ϲοι δια (927)
του μεγαλου αρχιϲτρατηγου μιχαηλ κυριε ο
μεγαϲ αρχαγγελοϲ του ιεου αη αιω ευαι
ι· ηιη ιωα ιηιη αιω εη αιω διο ϲυνϊϲτα
μαι ο μεγαϲ κ∫ εχω ϲε εν τη καρδια μου αω εη
20 εωηι αιαη ωη ιωαω εοηε ωηι ααη (932)
ωηιω · ωϲ ο θεολγοϲ ορφευϲ παρεδωκεν δια
τηϲ παραϲτιχιδοϲ τηϲ ϊδιαϲ οιϲπαη ιαω
ουεα ϲεμεϲιλαμ αηοι υιοϲ χολουε
αρααραχαραρα ηφθιϲικηρε ωηευ
25 αιη ωιαι εαη εαη ωεα βορκα· ⟦βορκαφριξ⟧ (937)
α̅ βορκαφριξ ριξ ωρζα ζιχ μαρθαι ουθιν
λιλιλιλαμ λιλιλιλωου ααααααα ωωωωωωω
μουαμεχ υγροπεριβολε αηω ωηα ηωα
ιι· νευϲον εξω εϲω διαπληρωϲον ει· αι·
30 οαι εϲω προϲβαλομενοϲ μυκηϲαι ολο (942)
λυγμοϲ δευρο μοι θεων θεε αηωηι
ηι ιαω αε οιω`τ´κ εκκυϲαι εϲω πληρου
καμμυων μυκηϲαι οϲον δυναϲαι επιτα ϲ
τεναξαϲ ϲυριγμω ανταποδοϲ ερω
35 τυλοϲ· εν τοιϲ ορφικοιϲ υοη εωαι ωαι (947)
υοηε αιυοηεω ερεπε ευα (948)

1 και - - - οηω repeats the last line of the preceding page; only αω at the end is PGM XIII 913. || **2** ϲεμεϲιλαμ: above the second ϲ, a deletion || **4** αγγαϲγα* : αγγαϲτα RLDPr || **9** αιοω: ο corr. from ω || **11** υεϲεμμιγαων: second μ ex corr. || **13** ϊαω: ω corr. from ι || **17** αρχαγγελοϲ: first γ ex corr. || **23** χολουε: from this word on (or possibly a few words earlier) the second hand takes over. || **25** ωεα: ω corr. from ο || **27** λιλιλιλαμ: μ ex corr. || **33** δυναϲαι: second α ex corr.

ΚΑΙ ΤΟΝ ΘΟ ΜΕΓΑΝ ΕΝΔΟΝ ΑΦΘΑΡΤΟΝ ΟΗΩ ΑΩ
ΘΟΟΥ ΟΙΗ ΟΥΨΗΙ ΟΡΧΡΑ ΘΩΩΜΧΡΑ ΣΕΜΕΣΙΛΑΝ
ΤΑΤΟΥΗΤΙ ΔΡΟΥΣΟΥΑΡ ΔΡΟΥΣΟΥΑΡ ΔΡΟΥΗΣΡΩ
ΣΝΙΔΑ ΒΑΤΑΙΑΝΑ ΑΓΓΑΣΤΑ ΔΑΜΑΣΟΥΡΟΥΡ ΟΥΑΝΑ
ΑΠΑΙΣΤΟΥ ΟΥΑΝΔΑ ΩΤΙ ΣΤΡΑΠΕΡΚΩΗΦ· ΑΔΩΝΟΥ
ΣΕΜΑΤΑΡ ~~[illegible]~~ ΕΥΙΕ ΥΟΥ ΥΥΥ ΘΗΝΩΡ ΔΙΑ ΤΩΝ
ΥΥΥ ΘΕΥΕΥΕΥ ΥΕ ΟΥΩ ΞΕΡΘΕΝΑΘΙΑ ΘΑΦΘΩ
ΟΙΚΡΟΥΩΡ ΑΡΑΥ ΤΩΩ ΑΑΑ ΕΡΑΡΗΡΑΥ ΙΗΡ·
ΘΟΥΘ ΑΣΗΣΕΝΑΧΘΩ ΛΑΡΝΙΒΑ ΑΙΘΩ ΚΟΥΦΙΩ
ΙΣΩΘΩΝΙ ΠΑΘΕΝΙ ΙΕΣΕΝΘΗΡ ΠΑΝΧΟΧΙΤΑΣ
ΟΥΕ ΤΙΑΣΟΥΘ ΠΑΧΘΕΕΣΘ ΥΕΣΕΜΑΙ ΤΑΩΝ
ΟΡΘΩ ΒΑΥΒΩ ΝΟ ΗΡ ΑΔΗΡ ΣΟΙΡΕ ΣΑΝΚΑΝ
ΘΑΡΑ ΕΡΕΟΧΙΤΑΛ ΑΠΠΑΡΑΚΕΩ ΦΙ ΙΑΩ ΣΑΒΑΩΘ
ΑΒΡΑΤΙΑΩΘ ΑΔΩΝΑΙ ΖΑΤΟΥΡΗ ΑΡΣΑΜΟΣΙ ΡΑΝΑ
ΚΕΡΝΩΘ ΛΑΜΤΕΥΩΡ ΔΙΟ ΣΥΝΙΣΤΑΜΑΙ ΣΟΙ ΤΩ
ΤΟΥ ΜΕΓΑΛΟΥ ΑΡΧΙΣΤΡΑΤΗΓΟΥ ΜΙΧΑΗΛ ΚΥΡΙΕ Ο
ΜΕΓΑΣ ΑΡΧΑΓΓΕΛΟΣ ΤΟΥ ΘΕΟΥ ΑΗ ΑΙΩ ΕΥΑΙ
ΙΗΙΗΙΩΑ ΙΗΙΗ ΑΙΩ ΕΗ ΑΙΩ ΔΙΟ ΣΥΝΙΣΤΑ
ΜΑΙ Ο ΜΕΓΑΣ ΚΑΙ ΕΧΩ ΣΕ ΕΝ ΤΗ ΚΑΡΔΙΑ ΜΟΥ ΑΩ ΕΗ
ΕΩΗΙ ΑΙΑΗ ΩΗ ΙΩ ΑΩ ΕΟΗΕ ΩΗΙ ΑΑΗ
ΩΗΙΩ [illegible] ΑΠΟ ΣΟΡ ΦΕΥΣ ΠΑΡΕΔΩΚΕΝ ΔΙΑ
ΤΗΣ ΠΑΡΑΣΤΙΧΙΔΟΣ ΤΗΣ ΙΔΙΑΣ ΟΙΣ ΠΑΗ ΙΑΩ
ΟΥΒΑ ΣΕΜΕΣΙΛΑΜ ΑΗΟΙ ΥΙΟΣ ΧΟΛΟΥΕ
ΑΡΑΡΑΧΑΡΑΡΑΗΦΘΙΣΙΚΗΡΕ ΩΗΕΥ
ΜΗ ΩΙΑΙ ΕΑΗ ΕΑΗ ΩΕΑ ΒΟΡΚΑ ~~ΒΟΡΚΟΦΡΙΞ~~
ΒΟΡΚΟΦΡΙΞ ΡΙΞ ΩΡΖΑ ΖΙΧ ΜΑΡΘΑΙ ΟΥΘΙΝ
ΜΑΙΜΑΡ ΜΑΙΜΑΙΩΟΥ ΑΑΑΑΑΑ ΩΩΩΩΩΩΩ
ΜΟΥΑΜΕΧ ΥΠΟ ΠΕΡΙΒΟΛΕ ΘΗΩ ΩΗΑ ΗΩΑ
ΠΝΕΥΣΟΝ ΕΞΩ ΕΣΩ ΔΙΑΠΛΗΡΩΣΟΝ ΕΙΣΙ
ΟΟΙ ΕΣΩ ΠΡΟΣΒΑΛΛΟΜΕΝΟΣ ΜΥΚΗΣΑ ΟΛΟ
ΛΥΓΜΟΣ ΔΕ ΠΡΟΚΑΙΟΙ ΘΕΣΩΝ ΘΕΕΣ ΘΗΩΗΙ
ΗΙ ΙΑΩ ΔΕ ΟΙΩΤΚ ΕΚΚΥΣΑΙ ΕΣΩ ΠΗΡΟΥ
ΚΑΙ ΜΥΩΝ ΜΥΚΗΣΑΜΟΣ ΟΣΟΝ ΔΥΝΑΣΑΙ ΕΠΙΤΑΣ
ΤΕΝΑΞΑΣ ΣΥΡΙΓΜΩ ΑΝΤΑΠΟΔΟΣ ΕΡΩ
ΤΕΛΟΣ· ΕΝ ΤΟΙΣ ΟΡΦΙΚΟΙΣ ΓΟΗ ΕΩΑΙ ΩΟΙ
ΓΟΗΕ ΜΥΟΗΕΩ ΕΡΕΠΕ ΕΥΟ

1	ναρβαῤνεζαγεγωη ηχραημ	(949)
	καφναμιαc ψιφρι ψαι αρορκιφ	
	καβρακιω βολβαλοχ· cιαιλαcι·	
	μαρομαλα μαρμιcαι βιραιθαθι·	
5	ωο ϊεροc δε ουτωc μαρχωθ	(953)
	cαερμαχωθ· ζαλθαγαζαθα· βαβαθ	
	βαθααθαβ α ιιι ααα ωοοωωω	
	ηηη ωνθηρ ειτα βαθοc αυμωλαχ	
	ωc δ εν τη προc ωχον βαcιλεα [sign]	
10	φωνουμενον αγιον □̅ υπο θφη	(958)
	ιερογραμματεωc νεθμομαω	
	μαρχαχθα χθαμαρ ζαξθ θαρνμ	
	αχαχ· ζαροκοθαρα ω`c´c ιαω	
	ουη cιαλωρ τιτη εαη ιαω ηc	
15	ζεαθε ααα ηεου θωβαρραβαυ	(963)
	εν δε τοιc ευηνου απομνημον	
	ε̣υμαcιν ο λεγειc παρα τοι αιγυπτιοιc	
	cυροιc φωνειcθαι χθεθωνι	
	ωc ζωροαcτρηc ο περcηc ε̅	
20	ρνιccαρψυχιccαρ ωc δε εν τοιc	(968)
	πυρρου ζζα ααα εεε ββμωεα	
	ανβιωωω ωc δε μωυcηc εν τη	
	αρχεγγελικη αλδαζαω	
	βαθαμ μαχωρ· η· βααδαμμαχωρ	
25	ριζξαη ωκεων πνεδ μεωυψ	(973)
	ψυχ φρωχ φερ·φρω ιαοθ̣χω	
	ωc δε⟦ε⟧ν τω νομω διαλυεται αβ	
	ραϊcτι αβρααμ ιcακ ϊακωβ αηω	
	ηωα ωαη ιεου ιεη ιεο ιαω	
30	ια ηι αο εη οε εω ωc δε εν	(978)
	τη ε̅ των πτολμαϊκων	(979)

3 βολβαλοχ: αλ over an erasure ‖ **7** ααα: third α ex corr. ‖ **16-17** απομνημον|ε̣υμαcιν: ε̣ (with good will) or c ‖ **22** μωυcηc: ω corr. from ο ‖ **26** ιαοθ̣χω or ιαο⟦θ⟧χω: if the former, θ corr. from χ; if the latter, θ deleted with a cross ‖ **30** εω has four dots above it, perhaps for expunction.

ΓΙΑΡΒΑΡΝΕΖΑΓΕΤΩΗ ΗΧΡΑΗΜ
ΚΑΦΝΑΜΑΣ ΤΙΦΡΙ ΤΗΝ ΑΡΟΡΚΙΦ
ΚΑΒΡΑΧΙΩ ΒΟΛΒΑΙ ΔΟΧΙΣΤΙΝΛΟΤ
ΝΑΡΘΑΜΑΧΑ ΜΑΡΜΙ ΣΑΙ ΒΙΡΙΝΘΑΤ
ΩΟΥΕΡΟΣ ΔΕΟΡΤΑΣ ΜΑΡΧΙΝΘ
ΣΑΕΡΜΑΧΩΑ ΖΑΛΑΘΑΤΖΑΘΑ ΒΑΒΑΘ
ΒΑΘΑΘΘΑ ΒΑ ΙΠ ΑΑΜ ΩΘΘΩΩΩ
ΜΗΗ ΩΝΘΗΡ ΕΙΤΑΒΑΘΟΣ ΑΜΩΧΑΧ
ΩΣ ΔΕ ΕΝ ΤΗ ΠΡΟΣ ΤΩ ΧΥΝ ΒΑΣΙΛΕΑ ΤΗ
ΦΩΝΟΥΜΕΝΩΝ ΑΓΙΩΝ Ε ΥΠΟ ΘΦΗ
ΙΕΡΟΓΡΑΜΜΑΤΕΩΣ ΝΕΘΜΟΜΑΩ
ΜΑΡΧΑΧΘΑ ΧΘΑΜΑΡ ΖΑΖΑΘ ΘΑΡΝΜ
ΑΧΑΧ ΖΑΡΟΚΟΘΑ ΡΑ ΩΣΙΑΩ
ΟΥΗΝ ΑΧΩΡ ΤΙΤΗ ΕΑΝ ΙΑΩ ΚΣ
ΖΕΑΘΕ ΖΑΑ ΝΕΟΥ ΘΩ ΒΑΡΡΑΒΑΥ
ΕΝ ΔΕ ΤΟΙΣ ΕΥΗΝΟΥ ΑΠΟΜΝΗΜΟΝ
ΕΥΜΑΣΙΝ Ο ΛΕΓΕΤΑΙ ΣΠΑΡΑ ΤΟΙΣ ΑΙΓΥΠΤΙΟΙΣ
ΣΥΡΟΙΣ ΦΩΝΕΙΤΑΙ ΧΘΕΘΩΝΙ
ΩΣ ΖΩΡΟΑΣΤΡΗΣ Ο ΠΕΡΣΗΣ Ε
ΡΝΙΣΣΑΡ ΤΥΧΙΣΣΑΡ ΩΣ ΔΕ ΕΝ ΤΟΙΣ
ΠΥΡΡΟΥΖΖΑ ΑΑΑ ΕΣΕ ΒΒΑΜΩΕΑ
ΑΝΒΙΩΩΩΩ ΩΣ ΔΕ ΜΩΥΣΗΣ ΕΝ ΤΗ
ΑΡΧΕΓΓΕΝΙΚΗ ΑΛΔΑΖΑΩ
ΒΑΘΑΜ ΜΑΧΩΡ Η ΒΛΑΔΑΜΜΑΧΩΡ
ΡΙΖΖΑΗ ΩΚΕΩΝ ΠΝΕΑ ΜΕΝΩΡΤ
ΤΥΧ ΦΑΩΧ ΦΕΡΦΡΩ ΙΑΩΘΧΩ
ΩΣ ΔΕ ΕΝ ΤΩ ΝΟΜΩ ΛΕΓΕΤΑΙ ΑΒ
ΡΑΙΣΤΗ ΑΒΡΑΑΜ ΙΣΑΚ ΙΑΚΩΒ ΑΝΩ
ΗΩΘ ΩΑΗ ΙΕΟΥ ΙΕΗ ΙΕΟ ΙΑΩ
ΙΑ ΗΙ ΙΑΟ ΕΗ ΘΕ ΕΩ ΩΣ ΔΕ ΕΝ
ΤΗ Ε ΤΩΝ ΠΤΟΛΕΜΑΙΚΩΝ

1 εν και το παν επιγραφομενον παν (980)
αρετω βιβλω περιεχει γεννηϲιν πν
ευματοϲ πυροϲ και ϲκοτοϲ κυριοϲ αιωνοϲ
ο παντα κτιϲ⟦α .⟧ϲ θεοϲ μονοϲ αφθε
5 γκτοϲ θοροκομφουθ ψονναν νε (984)
βουητι· τατ τακινθακολ· ϲοονϲ
ολουκε· ϲολβοϲεφηθ βορκα βορκα
φρινξ ριξω ζαδιχ αμαρχθα ιουχωριν·
λι λι λαμ λαμ ααοαααα ιιιιιι ωωωωω
10 ωω εμαχ ηηη ναχ λιλιλιλαμ· χενη (989)
λιλιλιλωου αηω ωαη ιωα ωωω ηηη
υγροπεριβολε μοθραη εια ουω
αουε θοπτοχ α ωω υυυ οοοο ιιιι ηηη
ηηηη εεεεεε αμουνι αααaω ηι· ηϊ
15 ανοχ αι ιω ωι ηιορτονγουρ ωηαι ειαι (994)
ωηαι ωηοι αα ηι ουω ηι ιου ηω ηεαε
θαθιερ θαινον αβου ο μεγαϲ μεγαϲ αιων
θεερϲαιων κ/ το με ο̄ το εν ϊεροϲολυμοιϲ
εν ω το ϋδωρ εκφερουϲιν οταν μη ενην
20 ϲεραι αχμη ιεωη ιεηω ιαραββαο (999)
υχραβαωα πτο ♁ πραγμα ο̄ αφθεγκτον
μεγαλου ο̄ λαβων χρυϲην λεπιδα η αργυρην
χαραϲϲε αδαμαντινω ⟦ν⟧λιθω τουϲ υποκει
μενου χαλακτηραϲ τουϲ αφθεγκτουϲ ο δε
25 χαραϲϲων αυτα εϲτω καθαροϲ απο παϲηϲ (1004)
ακαθαρϲιαϲ εϲτεμμενοϲ ταϲ χειραϲ
τω ακμαζοντι ϲτεφανω αμα επιθυων
λιβανον γραφετω δε την λυϲιν αυτου οπι
ϲου του πεταλου ειτα λαβων αυτο κεχα
30 ραγμενον βαλε αυτο ειϲ κλοϲοκομον κα (1009)
θαρον και θεϲ επι τριποδου θακαθαρου
περιβεβλημενου οθονιω κοϲμει δε και
παραθεϲιν ϲτροβειλων αρτων χαβωνιων (1012)

13 θοπτοχ: χ ex corr. || **14** αμουνι* ηϊ ex corr. || **17-18** θαθιερ (second θ ex corr.) θαινον (θ corr. from ϲ) - - - θεερϲαιων* || **18** με: perhaps with a stroke marking abbreviation above the ε, if this is not the beginning of the stroke above the following ο̄ || **19** εν ω: ω corr. from ο || **21** υχραβαωα: ω corr. from ο || **33** χαβωνιων*

ΕΝΩΚΑΙΤΟΠΑΝΕΠΙΓΡΑΦΟΜΕΝΟΝΠΑΝ
ΑΡΕΤΩΒΙΒΛΩΙΠΕΡΙΕΧΕΙΓΕΝΝΗΣΙΝΠΝ
ΕΥΜΑΤΟΣΠΥΡΟΣΚΑΙΣΚΟΤΟΥΣΚΥΡΙΟΣΑΙΩΝΟΣ
ΟΠΑΝΤΑΚΤΙΣ[illegible] ΘΕΟΣΜΟΝΟΣΑΦΘΕ
ΓΚΤΟΣ ΘΟΡΟΚΟΜΦΟΤΘ ΙΟΝΝΑΝΝΕ
ΒΟΥΗΤΙ ΤΑΤ ΤΑΚΙΝΘΑΚΟΥ ΣΘΟΝΣ
ΟΛΟΥΚΕ ΣΟΛΒΟΣΕΦΗΘ ΒΟΡΚΑ ΒΟΡΚΑ
ΦΡΙΞ ΡΙΞΩ ΖΑΛΧ ΑΜΑΡΧΘΑ ΙΟΥΧΩΡΙΝ
ΛΙ Λ ΧΑΛΧΑΜ [illegible] ΑΙΗΗΗΗ ΩΩΩΩΩΩ
ΩΩ ΕΜΑΧ ΗΗΗ ΝΑΧ ΝΗΗΗΛΑΜ ΧΕΝΗ
ΝΗΗΗΛΩΟΥ ΑΜΩ ΩΑΗ ΙΩΑ ΩΩΩΩ ΗΗΗ
ΥΠΟ ΠΕΡΙΒΟΛΕ ΚΟΘΡΑΗ ΕΙΑ ΟΥΩ
ΑΟΥΕΘΟΠΙΤΟ Χ ΑΩΩΥΥΥΟΟΟΟΙΙΙΙΗΗΗΗ
ΗΗΗΗ ΕΕΕΕΕΕ ΑΜΟΥΝΙ ΑΑΑΑ ΩΗΙ [illegible]
ΑΝΟΧ ΑΙ ΙΩ ΩΙ ΗΙΒΡΤΑΝΓΟΥΡΩΗΑΙ ΕΙΑΙ
ΩΗΑΙ ΩΗΟΙ ΑΑΗ ΒΥΩ ΗΙ ΙΟΥΗΩ ΗΕΛΕ
ΘΑΘΙΕΡ ΑΘΙΝΟΝ ΑΒΟΥΘ ΜΕΓΑ ΜΕΓΑΣ [illegible]
ΘΕΕΡΓΑΣΑΙΩΝ ΚΥΤΑΣΜΗ ΤΟ ΕΝ ΙΕΡΟΣΟΛΥΜΟΙ
ΕΝΑΙΤΟΥΔΩΡΕΧ ΦΕΡΟΥΣΙΝ ΟΤΑΝΝΗΚΕΝΗΝ
ΣΕΡΑΙ ΑΧΜΗ ΙΕΩΗ ΙΕΗΩ ΙΑΡΑΒΒΑΘ
ΥΧΡΑΒΑΒΩΑ ΠΤΟΣΠΡΗΓΜΑ
ΜΕΠΑΛΟΥΡ ΛΑΒΩΝ ΧΥΣΙΝ ΠΑΦΘΕΓΚΤΟΝ
ΧΟΡΑΣ ΣΕ ΑΔΑΜΑΝΤΙΝΩ ΚΛΑΙ ΤΟΥΣ ΠΟΚΑ
ΜΕΝΑΥΧ ΑΛΑΚΤΗΡΑ ΤΟΥΣ ΑΦΘΕΓΚΤΟΥΣ ΟΔΕ
ΧΟΡΑΣ ΣΩΝ ΑΥΤΑ ΕΣΩ ΚΑΙ ΠΡΟΣ ΑΓΙΟΠΑΓΕΣ
ΑΚΑΘΟΡΣΙΟΣ ΕΣΤΕΜΜΕΝΟΣ ΤΑΣ ΧΕΙΡΑΣ
ΤΗΑΚΜΑΖΟΝΤΗΣ ΣΤΕΦΑΝΩΙ ΑΜΑ ΕΠΙΘΥΩΝ
ΛΙΒΑΝΟΝ ΓΡΑΦΕ ΤΗΝ ΑΥΣΙΝ ΑΥΤΟΥ ΟΠΙ
ΣΟΥ ΤΟΥ ΠΕΤΑΛΟΥ ΕΙΤΑ ΛΑΒΩΝ ΑΥΤΟ ΚΕΧΑ
ΡΑΓΜΕΝΟΝ ΒΑΛΕ ΕΙΣ ΤΟ ΕΙΣ ΚΛΥΣΑ ΚΟΜΟΝ ΚΑ
ΘΑΡΟΝ ΚΑΙ ΘΕΣ ΕΠΙ ΤΡΙΠΟΔΟΣ ΑΧΛΟΑΡΟΥ
ΠΕΡΙΒΕΒΛΗΜΕΝΟΥ ΟΘΟΝΙΩ ΚΑΙ ΠΕΙ ΔΕ ΚΑΙ
ΠΑΡΑΘΕΣ ΙΝ ΠΡΟΒΕΛΩΝ ΑΡΤΩΝ ΧΑΒΩΝΙΩΝ

1	τρακηματων ανθεων καιρικων οι	(1013)
	νον αθαλλαcον αιγυπτιον ειτα	
	λαβων μεν γαλα οινον υδωρ εν και	
	νω αγγιω αμα cπενδε λιβανωτι	
5	ζων και παρακειcθω λυχνοc καθαρ	(1017)
	οc ροδινου μεcτοc και λεγε επικα	
	λουμαι τον εν τω ⊙ μεγιcτον □̄	
	κυριον ϊcχυρον μεγαcθενη ϊαω	
	ουω ιω αιω ουω οων τελει τε μοι	
10	κυριε τον μεγαν κυριον αφθεγτον	(1022)
	χαρακτηρα ιν\`α´ αυτον εχω και ακιν	
	δυνοc και ανικητοc και ακατα	
	μαχητοc παραμενω εγω ο ♃	
	πειρω δε καταcκευαζειν αυ	
15	τον ουcηc εν ανατολη και cυν	(1027)
	απτουcηc αγαθοποιω αcτερι η διϊ	
	η αφροδειτη και επιμαρτυρουν	
	τοc μηδενοc κακοποιου κρονου	
	η αρεωc η αρεωc βελτιον δε	
20	ποιει εαν ενοc των γ̄ αcτερων	(1032)
	των αγαθοποιων οντων εν ιδιω	
	οικω την cυναφην επιλαμβα	
	νομενηc τηc ☽ η διαμαρτυρουc	
	cηc η ενκαταενκατα⟦c⟧ διαμε	
25	τρον εν ανατολη οντοc και του ✳	(1037)
	εcται γαρ cοι πρακτικη πραξιc μη	
	ονομα την επιλυcιν αυτου δρα	
	φ ωνηc ει μη cε̣αυτου παραι	
	τι οc εcη αλλα εν cεαυτω εχε	
30	ει cιν δε αυτου αι χρειαι οταν υ	(1042)
	ποταcηc φοβον η οργην λαβων	
	φ υλ\`λ´ον δαφνηc επιγραψον τον	(1044)

1 ανθεων: α ex corr. ‖ **3** λαβων* ‖ **9** αιω ουω: second ω ex corr. ‖ **23-24** διαμαρτυρουc|cηc: c at the end of 23 perhaps rubbed out. ‖ **28-32** About 0.5 cm in from the beginning of these lines, there is a narrow strip where the surface of the papyrus is rough; the scribe usually did not write here.

ΤΡΑΚΗΜΑΤΩΝ ΑΝΘΕΩΝ ΚΑΙ ΡΙΖΩΝ ΟΙ
ΝΟΝ ΟΦΘΑΛΜΟΝ ΑΙΓΥΠΤΙΟΝ ΕΠΕΙΤΑ
ΛΑΒΩΝ ΜΕΝ ΠΑΛΑΙΟΝ ΟΙΝΟΝ ΥΔΩΡ ΕΝ ΚΑΙ
ΝΩ ΑΓΓΙΩ ΑΜΑ ΣΠΕΝΔΕ ΛΙΒΑΝΩ ΤΙ
ΖΩΝ ΚΑΙ ΠΑΡΑΚΕΙΣΘΩ ΛΥΧΝΟΣ ΚΑΘΗ
ΟΣ ΡΟΔΙΝΟΥ ΜΕΣΤΟΣ ΚΑΙ ΛΕΓΕ ΕΠΙΚΑ
ΛΟΥΜΑΙ ΤΟΝ ΕΝ ΤΩ ΘΩ ΜΕΓΙΣΤΟΝ ΘΝ
ΚΥΡΙΟΝ ΙΣΧΥΡΟΝ ΝΕΓΑΣΘΕΝΗ ΙΑΩ
ΟΥΩ ΙΩ ΑΙΩ ΟΥΩ ΟΩΝ ΤΕΛΕΤΕ ΠΕΝΟΙ
ΚΥΡΙΕ ΤΟΝ ΜΕΓΑΝ ΚΥΡΙΟΝ ΑΦΘΕΓΓΟΝ
ΧΑΡΑΚΤΗΡΑ ΜΗΝ ΑΥΤΟΝ ΕΧΩ ΚΑΙ ΑΚΙΝ
ΔΥΝΟΣ ΚΑΙ ΑΝΙΚΗΤΟΣ ΚΑΙ ΑΚΑΤΑ
ΜΑΧΗΤΟΣ ΠΑΡΑΜΕΝΩ ΕΓΩ Ο Τ.
ΠΕΙΡΩ ΔΕ ΚΑΤΑΣΚΕΥΑΖΕΙΝ ΑΥ
ΤΟΝ ΟΥΣΗΣ ΕΝ ΑΝΑΤΟΛΗ ΚΑΙ ΣΥΝ
ΑΠΤΟΥΣΗΣ ΑΓΑΘΟΠΟΙΩ ΑΣΤΕΡΙ ΗΤΟΙ
Η ΑΦΡΟΔΕΙΤΗ ΚΑΙ ΕΠΙΜΑΡΤΥΡΟΥΝ
ΤΟΣ ΜΗΔΕΝΟΣ ΚΑΚΟΠΟΙΟΥ ΚΡΟΝΟΥ
Η ΑΡΕΩΣ ΠΑΡΕΙΣ ΒΕΛΤΙΟΝ ΔΕ
ΠΟΙΕΙΣ ΕΡΗΜΕΝΟΥ ΤΩΝ ΑΣΤΕΡΩΝ
ΤΩΝ ΑΓΑΘΟΠΟΙΟΥΝΤΩΝ ΕΝ ΙΔΙΩ
ΟΙΚΩ ΤΗΝ ΣΥΓΓΡΑΦΗΝ ΕΠΙΛΑΜΒΑ
ΝΟΜΕΝΗΣ ΤΗΣ ☾ Η ΔΙΑΜΑΡΤΥΡΟΥ
ΣΗΣ ΗΣ ΕΝ ΚΑΤΑ[illegible] ΗΠΑΚΕ
ΤΡΟΝ ΕΝ [illegible] ΟΝΤΟΣ ΚΑΙ ΤΟΥ ✳
ΕΣΤΩ ΓΑΡ ΣΟΙ Η ΠΡΑΚΤΙΚΗ ΠΡΟΞΙΣΤΗΜΗ
ΟΝ ΑΛΛΑ ΤΗΝ ΕΠΙΛΥΣΙΝ ΑΥΤΟΥ ΑΡΙ
Φ ΩΝΗΣ ΕΙ ΜΗ ΣΕΑΥΤΟΥ ΤΟ ΑΡΜ
Η ΟΣΕΙ ΑΛΛΑ ΕΝ ΣΕΑΥΤΩ ΕΧΕ
ΕΙ ΕΙΝ ΔΕ ΑΥΤΟΥ ΑΙ ΧΡΕΙΑΙ ΟΤΑΝ Υ
ΠΟΤΑΞΗΣ ΦΟΒΟΝ Η ΟΡΓΗΝ ΛΑΒΩΝ
Φ ΥΛΛΟΝ ΔΑΦΝΗΣ ΕΠΙΓΡΑΦΕ ΤΟΝ

1 χαλακτηρα ω εςτιν και δειξας τω ♂ λεγε (1045)
επικαλουμαι ςε τω εν τω ʘ μεγαν ☐ κυρι
ον μεγαςθενη ιαω ουω ιω αιω ουω
οων διαφυλαξον με απο παντος φοβου
5 απο παντος κινδυνου του ενεςτοτως (1049)
μοι εν τη ςημερον ημερα εν τη αρτι ωρα
ταυτα ειπας γ̅ εκλιξον το φυλλον και
εχε μετα ςεαυτου το πεταλον εαν δε
δια χειρων επι τη χειρι
10 [characters] η δε επιλυςις η εις το (1054)
οπιςω γροφομενη
παιθ φθα φωζα
μουςης α`πο´κρυφος ςεληνιακη
ο̣ι̣νελ βιου χνουβουηρ ακρομβους
15 ουραοι ουη ραι αφωροκι ανοχ (1059)
βωρινθ μαμικουρφ αει αει η αει
ειε ειη τεθουρ ουρουηρ μεχρου
ρχου ταιςεχρηζη εχριγξ μαμια
ουρφ γυναικομορφε θεα δεςποτι ☾
20 ποιηςον το ♃ πραγμα ανυξις λαβων (1064)
ομφαλον κορκοδειλου αρςενος ποταμο
γειτονος λεγει καρδιαν και ωον κανθαρου
και κυνοκεφαλου ζμυρναν λεγει κρι
νινον αυρον εμβαλε εις αγγιον καλαϊ
25 νον και οταν θεληςανυξαι προςαγε τη (1069)
θυρα τον ομφαλον λεγων νη
θαιμ θολαχ θεχεμβαορ θεαγον
πενταθεςχι βωτι εν τω βυθω την
δυναμιν εχουςαν εμοι ιν ευοδον
30 αρτι μοι ειη οτι λεγω ςοι ςαυαμβοχ (1074)
μερα χεοζαφ ωςςαλα βυμ
βηλ πουοτουθω οιρηρει αρνοχ
εαν ειδη φωνηςαι μουςεως
μουςεως αποκρυφος η̅ δεκατη (1078)

2 ʘ ex corr. || **14** ο̣ι̣νελ: ι̣ν̣ ex corr. || **27** θαιμ: ι ex corr. || **31** ωςςαλα: ςα ex corr.

ΧΑΡΑΚΤΗΡΑ ΟΣ ΕΣΤΙΝ ΚΑΙ ΔΕΞΑΣΘΑΙ ΤΟ [illegible]
ΕΠΙΚΑΛΟΥΜΑΙ ΣΕ ΤΟ ΕΝ ΤΩ [illegible] ΜΕΤΑ ΝΠ ΚΥΡΙ
ΟΝ ΜΕΓΑΣΘΕΝΗ ΙΑΩ ΟΥΩ ΙΩ ΑΙΩ ΟΥΩ
ΟΩΝ ΔΙΑΦΥΛΑΞΟΝ ΜΕ ΑΠΟ ΠΑΝΤΟΣ ΦΟΒΟΥ
ΑΠΟ ΠΑΝ ΤΟΣ ΚΙΝΔΥΝΟΥ ΤΟΥ ΕΝΕΣΤΩΤΟΣ
ΜΟΙ ΕΝ ΤΗ ΣΗΜΕΡΟΝ ΗΜΕΡΑ ΕΝ ΤΗ ΑΡΤΙ ΩΡΑ
ΤΑΥΤΑ ΕΙΠ ΑΣ ΓΕ ΕΧ[illegible]ΞΟΝ ΤΟ ΦΥΛΑ[illegible]ΟΝ ΚΥ
ΕΧΕ ΜΕΤΑ ΣΕΑΥΤΟΥ ΤΟ ΠΕΤΑΛΟΝ ΕΑΝ ΔΕ
ΣΤΑΣ ΧΕΙΡΩΝ ΕΠΙ ΤΗ ΧΕΙΡΙ

Η ΔΕ ΕΠΙ [illegible] ΕΣΤΙ ΤΟ
ΟΠΙΣΩ ΓΡΑΦΟΜΕΝΗ
ΠΑΘ ΦΘΑ ΦΘΑΖΑ

ΜΩΥΣΕΩΣ ΑΠΟΚΡΥΦΟΣ ΣΕΛΗΝΙΑΚΗ
ΟΙΝΕΛ ΒΙΟΥ ΧΝΟΥΒΟΥΤΗΡ ΑΚΡΑΜΒΟΥΣ
ΟΥΡΑΟΙ ΟΥΠΙ ΡΑΙ ΑΦΩΡΟΚΙ ΑΝΟΧ
ΒΩΡΙΝΑ ΜΑΝΗΚΟΥΡΦ ΔΕΙ ΔΕΙ ΗΑΕΙ
ΘΕ ΕΙΗ ΤΕΘΟΥΡ ΟΥΡΟΥΤΕΡΜΕΧΡΟΥ
ΡΑΧΟΥ ΤΑΥ ΣΕΧΡΗΖΗ ΕΧΡΙΓΞ ΜΑΡΙΑ
ΟΥΡΦ ΓΥΝΑΙΚΟΝΟΡΦΕ ΘΕΑ ΔΕΣΠΟΤΙΣ
ΠΟΙΗΣΟΝ ΤΟ ΔΕ ΠΡΑΓΜΑ ΑΝΥΞΕΙΣ ΛΑΒΩΝ
ΟΜΦΑΛΟΝ ΚΡΟΚΟΔΕΙΛΟΥ ΑΡΣΕΝΟΣ ΠΟΤΑΜΟ
ΓΕΙΤΟΝΟΣ ΛΕΓΕΤΑΙ ΚΑΡΔΙΑΝ ΚΥΝΟΣ ΚΑΙ ΑΝΘΡΩ
ΚΑΙ ΚΥΝΟΚΕΦΑΛΟΥ ΖΜΥΡΝΑΝ ΛΕΓΕΤΑΙ ΚΡΙ
ΝΙΝΟΝ ΑΝΘΟΝ ΕΜΒΑΛΕΙΣ ΣΑΓΜΟΝ ΚΑΙ [illegible]
ΝΟΝ ΚΑΙ ΟΤΑΝ ΘΕΛΗΣ ΑΝΥΞΑΙ ΠΡΟΣΑΓΕ ΤΗ
ΘΥΡΑ ΤΟΝ ΟΜΦΑΛΟΝ ΛΕΓΕ [illegible] ΝΗ
ΘΑΑΜ ΘΟΝΑΧ ΘΕΧΕΜΒΑΟΡ ΘΕΑΓΟΝ
ΠΕΝΤΑΘΕΣΧΙ ΒΩΤΗ ΕΝ ΤΩ [illegible] ΤΗΝ
ΔΥΝΑΜΙΝ ΕΧΟΥΣΑ ΑΝΕΩΧΘΗΤΙ ΙΝ ΕΥΟΔΟΝ
ΑΡΗΝΟΙΕΠ Η ΟΤΗ ΛΕΓΩ ΣΟΙ ΣΑΡΑΜΒΑΧ
ΜΕΡΑ ΧΕΟΖΑΦ ΩΣΕΑΛΑ ΒΡΑ
ΒΗΛ ΠΟΥ ΟΤΟΥ [illegible] ΟΙΡΗ ΡΕΤ ΑΡΝΟΧ
ΕΑΝ ΕΙΔΗ ΦΩΝΗΣΑΙ [illegible]
ΜΩΥΣΕΩΣ ΑΠΟΚΡΥΦΟΣ Η ΔΩΔΕΚΑΤΗ

APPENDIX

A. BRINKMANN,

"EIN SCHREIBGEBRAUCH UND SEINE BEDEUTUNG FUER DIE TEXTKRITIK,"

reprinted from

Rheinisches Museum für Philologie 57 (1902) 481 - 497

EIN SCHREIBGEBRAUCH UND SEINE BEDEUTUNG FUER DIE TEXTKRITIK*

Wie man heutzutage das, was man einem Schriftstück nachträglich einzufügen wünscht und doch nicht in den Context selbst hineinschreiben möchte, auf seinem Rande einzutragen und dadurch an den gewollten Platz zu verweisen pflegt, dass man hier und dort einander entsprechende Zeichen setzt, so verfuhr man auch im Alterthum und Mittelalter. Aber die Verweisungszeichen waren nicht das einzige Mittel, das zur Orientirung solcher Randzusätze verwendet wurde, man suchte diesen Zweck auch noch auf andere Weise zu erreichen. Ein paar Beispiele mögen den Sachverhalt erläutern.

Theodoros Metochites sagt von Synesios S. 127 MK. ἔστι δ' οὖ καὶ νεμεσῆσαι τις ἂν δικαίως τὸ τῆς γλώσσης παράτροπον. An Stelle des letzten Wortes bietet die Handschrift, nach der A. Mai diesen Essai zuerst veröffentlichte (Scriptorum vett. nova collectio II S. 687), πάτροπον, wozu am Rande ράτροπον vermerkt ist. Auch damit ist ersichtlich nichts anderes als παράτροπον gemeint, die Randbemerkung will sagen: schiebe in πάτροπον vor τρόπον die Silbe ρα ein. Das gleiche Verweisungsprincip ist in einem von A. Ludwich Batrachomachie S. 345 hervorgehobenen Falle bei einem sehr umfänglichen Nachtrage befolgt. In der ältesten Handschrift dieses Gedichts (Baroccianus 50) stehen die Verse 209, 214, 215, 218 und 219 (ἀλλ' οὐδ' ὣς ἀπέληγεν κτἑ.) in dieser Reihenfolge im Text. Dazu notirte ein Corrector des 13. Jahrhunderts rechts neben 209: — στίχοι, wiederholte dann auf dem unteren Rande der Seite das Zeichen: — und schrieb dazu paarweise die Verse 210, 211, 212, 213, 213[a], 216, 217, 218, 219 ἀλλ' οὐδ' ὣς ἀπέληγεν. Wie im vorigen Beispiel τρόπον, so stellt hier der aus dem Text / wiederholte Verstheil das Stichwort dar, das den vorausgehenden Versen ihren richtigen Platz vor 219 anweist.

Dies Verfahren ist nicht erst im Mittelalter aufgekommen. Ganz ebenso half sich der Copist des Herondas-Papyrus, als er das Anfangswort des Verses VII 99 σεωυτοῦ irrthümlich ausgelassen hatte: er holte es in dem freien Raume über der Columne (40) nach und fügte ihm das Wort, vor dem es einzuschalten ist, στατῆρας, in Verbindung mit einem Verweisungszeichen[1] hinzu. Aber auch wo es sich nicht um Ergänzung fehlender, sondern um Variante oder Correctur vorhandener Textworte handelt, hat man sich desselben Orientirungsmittels bedient. ZB. in der Herculanischen Rolle von Polystratos' Schrift περὶ ἀλόγου καταφρονήσεως liest man am Fuss der 22. Col. die Notiz λαβεῖν ἀληθι, durch correspondirende Zeichen bezogen auf Z. 25 ἀπόλαυσιν λαμβάνειν ἀληθινήν. Mit einer ganzen Anzahl in gleicher Weise orientirter Randzusätze ist der Text des von Leemans (Papyri gr. musei Lugduni-B. II 1885) und A. Dieterich (Abraxas

---

* Reprinted from *Rheinisches Museum für Philologie* 57 (1902) 481-497. Brinkmann's occasionally old-fashioned spellings have not been modernized. His references to Dieterich's edition of P. Leid. W (= J 395) have been replaced by references to PGM XIII.

[1] Crusius liest ὅ und deutet dies οὕτως, aber weder kann die nach links sich öffnende krumme Linie ein o sein, noch sind die Zeichen darüber Spiritus und Accent.

1891) herausgegebenen Leydener Zauberpapyrus W (= J 395 = PGM XIII) nachträglich vervollständigt. So stehen unter S. 19 (= PGM XIII 860-62; vgl. App. cr. zu 859) die Worte ἐπικαλοῦμαί σε ὡς ὁ λίψ, στὰς πρὸς τὸν λίβα λέγε η ιι οοο υυυυ ωωωωω αααααα εεεεεεε ἐπικαλοῦμαι, es ist demnach im Texte vor einem ἐπικαλοῦμαι der Satz ἐπικαλοῦμαί σε — εεεεεεε einzuschieben, der durch ein nahe liegendes Versehen übersprungen war. Nun findet sich ἐπικαλοῦμαι auf dieser Seite sehr oft, in Betracht kann jedoch nur der Abschnitt kommen, in dem von den Winden die Rede ist, nämlich Zeile 20, 22, 24 oder 26 (= PGM XIII 855, 857, 859 oder 864), und unter diesen hat wieder Z. 24 die am besten begründeten Ansprüche. Denn nur wenn man den Nachtrag hier einrückt, werden die vier Winde in einer naturgemässen Reihenfolge (OSWN) aufgeführt. Ferner sind über S. 9 (vgl. App. cr. zu PGM XIII 390) die Worte gesetzt εἶτα κυνὸς ἄστρου ἀνατολὴν εἶτα τὴν τῆς Cώθεως, dh. εἶτα — ἀνατολὴν soll vor εἶτα τὴν τῆς (sic) Cώθεως Z. 47 (= PGM XIII 390) eingeschaltet werden. Kurz vorher macht sich eine weitere Lücke bei πρόθεσιν (Z. 45 f. = PGM XIII 388 f.) auf den ersten Blick bemerklich. Sie wird ausgefüllt durch die am Fuss der Seite eingetragenen Worte τὴν τροπὴν τοῦ κόσμου τὴν καλουμένην πρόθεσιν. Unmittelbar über diesem Nachtrage steht ein zweiter: καὶ τὸν τῆς ἡμέρας / καὶ τὸν ἐπάναγκον αὐτῶν ἵνα ἐξ αὐτῶν. Er dient zur Ergänzung von Z. 36 (vgl. App. cr. zu PGM XIII 378 f.) καὶ τὸν τῆς ἡμέρας θεόν, ἵνα ἐξ αὐτῶν. Hier sind also dem Supplement nicht nur die Worte, vor die es gehört, sondern auch die, hinter denen es seinen Platz finden soll, hinzgefügt. Noch mehr Sicherheitsmassregeln sind bei einer Nachtragung am Ende der S. 8 (vgl. App. cr. zu PGM XIII 331) getroffen. Ausser voran- und nachgestellten Stichworten finden sich noch Verweisungszeichen im Text Z. 20 (= PGM XIII 331) ἄκουε μοχλέ γ, ἀνάβαλε γῆ und vor dem Nachtrage γ ἄκουε μοχλέ, εἰς δύο γενοῦ[1] κλείων διὰ τὸν αϊααϊνρυχαθ, ἀνάβαλε γῆ. Nur einmal werden, abgesehen von Verweisungszeichen, zur Orientirung allein die Worte verwendet, hinter denen der Randzusatz einzuschieben ist. Ueber S. 6 steht τῆς θεοσοφίας ἀνεύρετον ποίησον τὴν βίβλον, zu Z. 22 (= PGM XIII 234; vgl. App. cr. dazu) πλησθεὶς τῆς θεοσοφίας gehörig. Dass diesmal das Stichwort vorausgeschickt ist, mag seinen Grund in der Rücksicht auf die grammatische Zusammengehörigkeit und den Platz der nachzutragenden Worte haben, die den Abschluss eines Textabschnittes bilden. Immerhin dürften derartige Fälle zu den Ausnahmen gehören. Die Regel bei Verweisungen mittelst Stichworten war jedenfalls, Randzusätzen die Textworte folgen zu lassen, vor denen sie eingeschaltet werden sollen. Und es leuchtet ein, dass diese Art von Reclamen sich in der That am besten zur Orientirung eignete. So hat sich ihr Gebrauch auch nicht auf die Verweisung von Marginalien beschränkt. Denn es liegt doch das gleiche Prinzip zu Grunde, wenn man die Reihenfolge der Blattlagen, Blätter oder Seiten in den Codices statt durch Zahlzeichen vielfach dadurch bezeichnete, dass man ihnen am Schluss das oder die Anfangsworte der nächstfolgenden Seite beischrieb. Auch diese Sitte reicht bis ins Alterthum zurück. Nicht

[1] Das entspricht genau dem deutschen 'entzwei gehen', es kann daher κλειδῶν, wie man das κλεί^δων gelesene Wort gedeutet hat, unmöglich richtig sein. Man vgl. noch S. 6, 51 (= PGM XIII 263) σχίσον εἰς δύο.

nur der Leydener magische Papyruscodex W befolgt sie[2], sondern bereits altbabylonische Schreiber verfahren danach. So ist die Reihenfolge der von Zimmern (Assyriolog. Bibliothek XII 1. 1896) veröffentlichten 'Šurpu'-Tafeln auf diese Weise / festgelegt. Die 4. Tafel zB. schliesst mit den Worten (S. 25): 'Beschwörung. Ein böser Fluch hat wie ein Dämon einen Menschen befallen. Vierte Tafel Šurpu. Ihrem Original gemäss abgeschrieben' usw. Die Worte 'Beschwörung — befallen' sind dem Anfang der 5. Tafel entnommen, sie bilden die 'Stichzeile', die angiebt, dass diese Tafel derjenigen unmittelbar voranzugehen habe, die so beginnt. Aus dem Mittelalter hat sich dann diese Verwendung der Reclamen in Schrift und Druck weiter und weiter vererbt, und wenn sie jetzt aus den Erzeugnissen der modernen Druckerpresse fast ganz verschwunden sind, leben sie bekanntlich in der conservativen Praxis der Kanzleien noch heute uneingeschränkt fort.

So verbreitet nun auch der Gebrauch von Stichworten zur Orientirung marginaler Nachträge gewesen sein muss, ist er doch allem Anschein nach niemals zu allgemeiner oder auch nur überwiegender Geltung durchgedrungen. Dieser Zustand konnte aber, ja musste fast mit Nothwendigkeit zu mancherlei Uebelständen führen. Abschreiber, denen das Stichwort-Verfahren nicht geläufig war, standen derartigen Verweisungen rathlos gegenüber und waren genöthigt sich mit ihnen nach Massgabe ihrer Einsicht und Gewissenhaftigkeit abzufinden. Wessen man sich aber unter solchen Umständen zu versehen hat, lässt sich leicht ermessen, wenn man bedenkt, wie viel Verwirrung überhaupt durch unrichtige Verwerthung von Marginalien in der antiken Litteratur angerichtet ist, wie oft Varianten und abweichende Recensionen[1], Correcturen und Inhaltsangaben[2], Glossen und Scholien, Verweisungen[3] und redactionelle Vermerke[4],

---

[2] Dass es in diesem Sinne zu verstehen ist, wenn bis S. 19 (mit einer Ausnahme) die Schlussworte jeder Seite und die Anfangsworte der nächsten sich decken, geht am klarsten daraus hervor, dass das Wort ἱερατιστί, das die 8. Seite eröffnet, am Schluss der 7. in besonderer Zeile für sich allein geschrieben ist.

[1] Vgl. Blass in Iw. Müllers Handbuch I² S. 260 f. Ueber die besondere Bedeutung dieses Factors in der Aristoteles-Ueberlieferung s. namentlich L. Spengel, Abhandl. d. bayerischen Akad. VI (1852) S. 511, Torstricks Praef. zu de anima S. XXII ff. und Diels Abhandl. d. Berliner Akad. 1882 S. 31 ff.

[2] Das gilt natürlich vorzugsweise von Werken wissenschaftlichen Inhalts, zB. Rhet. ad Alex. S. 23, 20 Sp. [πόθεν ἄν τις ἀπολογήσαιτο] (erkannt von Victorius), Philon. Mech. S. 49, 17 [περὶ τῆς καθόλου τέχνης], sowie S. 94, 13, Heron Pneum. S. 12, 3 f. Sch. [μεταβάλλει τὰ παχύτερα τῶν σωμάτων εἰς λεπτομερεστέρας οὐσίας] und S. 22, 25 ff. [διότι οἱ κάτω κολυμβῶντες οὐ θλίβονται ὑπὸ τοῦ ὑπεράνω ὕδατος].

[3] ZB. Hippocr. V S. 344 L. [τὰ ἐκ τοῦ σμικροῦ πινακιδίου σκεπτέα] s. Bröcker Rhein. Mus. 40 S. 431, Alex. Aphrod. II S. 128, 22 [περὶ τῆς ἀπορίας ταύτης καὶ ἐν τοῖς ὑστέροις εἴρηταί τι] s. Bruns, Suidas unter Συριανός [εἰς τὰ Πρόκλου] s. R. Schöll Anecd. II S. 5.

[4] Dionys. Hal. de Isocr. S. 570 R. = 80, 12 UR. [ἀσύναπτα] s. Sadée de Dion. H. scr. rhet. S. 19 ff. und Serapion v. Thmuis S. 72, 2' Lagarde [ἀνακόλουθα] s. Pitra Anall. sacra V S. 59 und Sitzungsber. Berl. Akad. 1894 S. 481, dh. 'hier ist der Text unzusammenhängend', ferner Diog. Laert. X 121 [μετιτέον δὲ ἐπὶ τὴν ἐπιστολήν] u. 122 [τὸ ἑξῆς· Δοκεῖ δ' αὐτοῖς] s. Usener Epicurea S. XXXII ff. Im pseudoplut. Leben des Andokides steht am Schluss des von Westermann als nachträgliche Einlage entlarvten Excurses über den Hermenfrevel (διὰ τὸ πρότερον . . . . . ὡς Κράτιππός φησι) der Vermerk [προσαμαρτὼν μυστήρια], di., wie Dübner erkannt hat, πρὸς Ἁμαρτὼν μυστήρια 'setze vorstehendes den (der Einlage unmittelbar vorhergehenden) Worten ἁμαρτὼν μυστήρια hinzu'.

lobende oder tadelnde / Aeusserungen[1] und sonstige Notizen kritischer Leser an der ersten besten Stelle durch die Abschreiber den von ihnen copirten Texten einverleibt sind. Bereits Galen weiss in seinen Erläuterungsschriften zu Hippokrates ein Lied davon zu singen[2].

Nach alledem wird man darauf gefasst sein müssen in den antiken Texten auch solche Schäden anzutreffen, die auf diesem Wege entstanden sind. Diese Fehlerquelle ist auch nicht ganz ohne ausdrückliche Anerkennung geblieben. So zeigte Usener Epicurea S. XXIV f., dass einer der verschiedenen Zusätze, durch die Diogenes Laertius III 6 und 7 seine Vorlage erweitert hat und die dann durchweg an möglichst unpassende Stellen gerathen sind, noch jetzt sein Ursprungszeugniss in Gestalt des angehängten Stichworts aufweist. Es ist der Satz (§ 7) / προσεῖχε Κρατύλῳ τε τῷ Ἡρακλειτείῳ καὶ Ἑρμογένει τῷ τὰ Παρμενίδου φιλοσοφοῦντι, der wie das folgende, im jetzigen Zusammenhange unverständliche ἔπειτα angiebt, vor ἔπειτα μέντοι μέλλων (§ 6) seinen Platz hatte finden sollen. Und Ludwich erklärte Batrachomachie S. 345 die Thatsache, dass sich V. 76 fast vollständig mit 69 deckt durch die Vermuthung, es seien 74 und 75 im Archetypus am Rande nachgetragen gewesen und 69 hinzugefügt, um ihre Einreihung vor diesem Verse zu veranlassen. Im Allgemeinen hat man jedoch anscheinend diesem Verweisungsmodus sowie den durch seine Unkenntniss oder Vernachlässigung verursachten Irrungen nicht die gebührende Aufmerksamkeit geschenkt. Es dürfte sich daher verlohnen dem Gegenstande etwas näher nachzugehen und seine Wichtigkeit für die Ueberlieferung der antiken Litteratur an einigen charakteristischen Proben aufzuzeigen.

Ein bekanntes, dem Anaxagoras zugeschriebenes Wort lautet in Jamblichs Protreptikos c. 9 nach dem Florentinus ἐρωτηθέντα, τίνος ἂν ἕνεκα ἕλοιτο γενέσθαι τις καὶ ζῆν, ἀποκρίνεσθαι . . . ὡς τοῦ θεάσασθαι τὰ περὶ τὸν οὐρανὸν καὶ περὶ αὐτὸν ἄστρα κτέ. Mit Hilfe der Parallelstellen hat Pistelli in seiner Ausgabe S. 51, 13 die Schlussworte verbessert zu

θεάσασθαι [τὰ περὶ] τὸν οὐρανὸν καὶ ⟨τὰ⟩ περὶ αὐτὸν ἄστρα.

Man wird diese Corruptel schwerlich anders erklären können, als wenn man in τὰ περί eine ursprünglich ausserhalb des Textes, beigeschriebene Correctur sieht, die besagen

---

[1] Vgl. ua. Cobet Mnemosyne IX S. 98 ff. Es ist freilich auch wohl hie und da Missbrauch mit solchen Annahmen getrieben. So hat Cobet bei Julian VII S. 231ᵃ in dem Satze ὦ Ζεῦ πάτερ ἢ ὅ τι σοι φίλον ὄνομα ἢ ὅπως ὀνομάζεσθαι — τουτὶ γὰρ ἔμοιγε οὐδὲν διαφέρει — δείκνυέ μοι τὴν ἐπὶ σὲ φέρουσαν ὁδόν die Worte τουτὶ γὰρ ἔμοιγε οὐδὲν διαφέρει als ironische Randbemerkung eines Lesers getilgt. Schon das hierbei ganz unbegreifliche γὰρ hätte ihn oder Hertlein, der ihm folgt, bedenklich machen müssen. Vollends klar wird die Verkehrtheit der Athetese, wenn man vergleicht zum Gedanken etwa Origen. c. Cels. V 41 und Macar. Magnes IV 21 S. 200, zum Ausdruck Method. S. 343, 5 Bonw. ἀπὸ τῶν στοιχείων ἢ ὕλης ἢ στηριγμάτων, ἢ ὅπως αὐτοὶ βούλεσθε ὀνομάζειν — οὐδὲν γὰρ διαφέρει, Aelian V. H. I 25 Ἀλέξανδρος ὁ Φιλίππου, εἰ δέ τῳ δοκεῖ ὁ τοῦ Διός — ἐμοὶ γὰρ οὐδὲν διαφέρει, Aeschines Tim. 164 ὁστισδηποτοῦν — οὐδὲν γὰρ διαφέρει.

[2] S. Galen XVII 1 S. 79 f., 634, 909 und sonst (vgl. Bröcker Rhein. Mus. 40 S. 417 ff. und Blass im Handbuch I² S. 257 ff.), ausserdem Simplicius in Categ. 51ᵇ 38 Br. δισσογραφία τις ἐν τούτοις συνέβη· οὐδὲν γὰρ Ἀριστοτέλης ἐκ περιττοῦ τοῖς λόγοις προστίθησιν, ἀλλ' ἴσως ἔξω παραγεγραμμένης τῆς ἄλλης γραφῆς οἱ γράφοντες τὰ δύο εἰς τὸ ἐδάφιον ἐνεγράψαντο.

sollte, dass vor περὶ (αὐτὸν ἄστρα) der Artikel irrthümlich ausgelassen sei. Ebenso wird man Stellen zu beurtheilen haben wie Kleomedes II 5 S. 194, 17 f. Z.

οὕτω [πᾶσαν αὐτὴν] περιέρχεται — nämlich ἡ σελήνη — περὶ ⟨πᾶσαν⟩ αὐτήν,

Heron Automat. S. 430, 9 Sch.

καὶ ⟨ἄνωθεν περόνιον⟩ διῶσαι διὰ τρυπηματίου τοῦ ἐν τῇ πλευρᾷ καὶ [ἄνωθεν περόνιον διώσας] διὰ τῆς ἀγκύλης,

und vermuthlich auch den in dieser Zeitschrift LVI S. 70 f. behandelten Satz der Rede Gregors an Origenes § 161

οἷς εἴπερ ἐπείσθη, πρὶν φιλοσοφῆσαι, προσελθεῖν τὸ πρῶτον, ⟨προσανείχετο⟩ ἂν καὶ ἠγάπα, . . . οἷα δὴ μὴ προκατειλημμένης τῆς ψυχῆς μηδέπω λόγοις [προσανείχετο ἂν καὶ ἠγάπα]. /

Zur Annahme eines verkannten Nachtrages mit doppelter Orientirung drängt die Ueberlieferung in Porphyrios' Leben Plotins c. 9:

ἔσχε δὲ καὶ γυναῖκας σφόδρα προσκειμένας, Γεμίναν τε, ἧς καὶ ἐν τῇ οἰκίᾳ κατῴκει, καὶ τὴν ταύτης θυγατέρα, Ἀμφίκλειάν τε . . . [σφόδρα φιλοσοφίᾳ προσκειμένας].

Die Schlussworte waren wohl die Randbemerkung eines Lesers, der an dem Ausdruck ἔσχε σφόδρα προσκειμένας ('es waren ihm sehr ergeben') mit Unrecht Anstoss nahm und — zum Schaden des Sinnes — φιλοσοφίᾳ dazwischen eingeschoben wissen wollte. Der seltenere Fall einer Verweisung durch vorausgeschicktes Stichwort scheint dagegen bei Athenaeus XI S. 505 f. vorzuliegen. Denn wenn Kaibel mit Recht hergestellt hat

ἀλλὰ μὴν οὐ δύνανται Πάραλος καὶ Ξάνθιππος οἱ Περικλέους υἱοὶ [τελευτήσαντες τῷ λοιμῷ] Πρωταγόρᾳ διαλέγεσθαι, ὅτε ⟨τὸ⟩ δεύτερον ἐπεδήμησε ταῖς Ἀθήναις, οἱ ἔτι (?) πρότερον τελευτήσαντες ⟨τῷ λοιμῷ⟩,

so ist die Verderbniss doch nur unter der Voraussetzung begreiflich, dass τελευτήσαντες τῷ λοιμῷ ein verstelltes Marginale ist, das den Ausfall von τῷ λοιμῷ am Satzschluss berichtigen sollte.

Handelt es sich in den bisher betrachteten Beispielen immer nur um die Nachtragung von einem oder zwei Wortern, so fehlt es auch nicht an Belegen für irrthümliche Einordnung längerer Randzusätze dieser Art. Besonders klar tritt der Sachverhalt zu Tage in dem biographischen Artikel des Suidas über den Komiker Phrynichos. Da werden die Stücke dieses Dichters in folgender Ordnung aufgeführt:

Ἐφιάλτης, Κόννος, Κρόνος, Κωμασταί, Σάτυροι, Τραγῳδοὶ ἢ Ἀπελεύθεροι, Μονότροπος, Μοῦσαι, Μύστης, Ποάστριαι, Σάτυροι.

Nun kennt die Liste des cod. Estensis (Kaibel FCG. I S. 10) von Phrynichos nur 10 Komödien, hier sind es 11, aber der Titel Σάτυροι wird zweimal genannt und zwar das zweite Mal ohne jedes unterscheidende Kennzeichen. Man strich daher frühzeitig das zweite Σάτυροι als überflüssig. Allein C. Wachsmuth (Symb. phil. Bonn. S. 151) erkannte, dass die Verderbniss tiefer greife und die ursprünglich durchweg alphabetische Reihenfolge der Titel zerrissen habe, ohne dabei auf eine Erklärung ihres Ursprungs einzugehn. Einmal auf diese Dinge aufmerksam geworden / sieht man leicht, was vorgegangen. Die Titel Μονότροπος, Μοῦσαι, Μύστης, Ποάστριαι waren aus Versehen übersprungen und am Rande zusammen mit Σάτυροι als Stichwort nachgetragen, zum Zeichen dass sie vor Σάτυροι in den Text gehörten[1]. Der nächste Copist beachtete das nicht und schob den Nachtrag sammt seinem Stichwort kurzerhand ans Ende des Pinax.

Nicht ganz so einfach liegt der Thatbestand bei einer Stelle der Schrift des Alexander von Aphrodisias περὶ κράσεως καὶ αὐξήσεως. Im 11. Kapitel dieses ebenso schwierigen wie wichtigen Buches wird die stoische Lehre, dass Gott (das wirkende) die Materie (das leidende Prinzip) durchdringe und gestalte, von den verschiedensten Seiten aus beleuchtet und ad absurdum geführt. An seinem Schlusse heisst es dann S. 226, 30 ff. der Akademie-Ausgabe πρὸς δὲ τούτοις εἰ τὰ κιρνάμενα ἀλλήλοις σώματα ἀντιπάσχειν ὑπ' ἀλλήλων ἀνάγκη, τὰ δὲ δι' ἀλλήλων χωροῦντα σώματα κιρνᾶται ἀλλήλοις, εἴη τ' ἂν ἄλληλα *** Ταῦτα μὲν εἰπεῖν προήχθην διὰ τοὺς ἀντιλέγοντας κτἑ. Mit Recht hat der Herausgeber das Zeichen der Lücke gesetzt, es fehlt der Nachsatz, die Schlussfolgerung: 'so ist auch Gott mit der Materie vermischt, erfährt demnach von ihr Gegenwirkung, leidet also' oder ähnlich. Bruns hat auch bereits treffend darauf hingewiesen, dass der hier ausgefallene Gedanke sich weiter unten S. 227, 19 ff. vorfinde. Da stehen unvermittelt und zusammenhanglos zwischen zwei Sätzen, in denen von ganz anderen Dingen die Rede ist, die Worte καὶ ὁ θεὸς κιρνάμενος τῇ ὕλῃ, εἰ δὲ τοῦτο, καὶ ἀντιπάσχων ὑπ' αὐτῆς· οἷς ἕπεται τό τε τὸν θεὸν πάσχειν καὶ τὸ τὴν ὕλην ποιεῖν, ἀλλὰ ταῦτα — dem Sinne nach genau das, was S. 226, 34 fehlt. Es kann daher kein Zweifel sein, dass hier eine verschlagene Randbemerkung vorliegt, die zur Ergänzung der Lücke am Ende des 11. Kapitels hatte dienen sollen. Nun ist mit οἷς ἕπεται τό τε τὸν θεὸν πάσχειν καὶ τὸ τὴν ὕλην ποιεῖν die Schlussfolgerung ans Ziel gelangt, für den Gedanken ist nichts weiter erforderlich. Immerhin besteht aber die Möglichkeit, dass einst doch noch eine jetzt verlorene Be/-merkung mehr oder weniger gleichgiltigen Inhalts folgte und die abgerissenen Worte ἀλλὰ ταῦτα ihren Anfang bildeten. Darüber gilt es zunächst Klarheit zu gewinnen. Der Satz, der auf die von Bruns angezeigte Lücke folgt (S. 226, 34), beginnt mit den Worten ταῦτα μὲν εἰπεῖν προήχθην κτἑ., ihm fehlt also der unmittelbare Anschluss an das vorangegangene. Hergestellt wird die Verbindung, wenn man entweder hinter μὲν ein δὴ oder οὖν einschiebt, oder aber vor ταῦτα eine Partikel wie καὶ oder ἀλλὰ hinzufügt. Da nun vor ταῦτα sich ohnehin die Lücke befindet, so ist natürlich das letztere weitaus vorzuziehen. Ist dem aber so, dann kann, da mit diesem Satze die bisherige Erörterung abgebrochen wird, nur ἀλλὰ ernstlich in Frage kommen. Der auf die Lücke folgende Satz begann also aller Wahrscheinlichkeit nach mit ἀλλὰ ταῦτα. Eben diese Worte ἀλλὰ ταῦτα stehen aber ganz abrupt am Schluss des Nachtrags, der zur Ausfüllung jener Lücke bestimmt war und sie auch inhaltlich in vollkommen befriedigender Weise

[1] Von hier aus eröffnet sich vielleicht auch ein Weg zu der von Daub (Fleckeis. Jahrb. 1881 S. 264) vermissten Erklärung, wie in den Bios des Ophelion die Titel der diesem Komiker von Meineke (Hist. crit. S. 415) u. A. abgesprochenen Stücke Σάτυροι, Μοῦσαι, Μονότροποι (sic) eingedrungen sein können.

ausfüllt. Der Nachtrag ist also in der That am Ende vollständig und das abrupte ἀλλὰ ταῦτα stellt das ihm zur Orientirung angehängte Stichwort dar: er passt somit genau an den auf die Lücke folgenden Satz an. Setzt man ihn nun an dieser Stelle ein, so wäre Alles in schönster Ordnung, wenn das jetzt vor der Lücke stehende ἄλληλα fehlte. Also vor der statuirten Lücke ist ein ἄλληλα überflüssig, dahinter ein ἀλλὰ erforderlich, mit anderen Worten dies ἄλληλα ist nichts anderes als das vermisste ἀλλά, leicht verschrieben unter dem fortwirkenden Einflusse der unmittelbar vorhergehenden ἀλλήλων und ἀλλήλοις[1]. Die Entstehung des jetzigen Textes dürfte demnach in folgender Weise vor sich gegangen sein. In einem dem Archetypon vorausliegenden Exemplar war der Schluss des 11. und der Anfang des 12. Kapitels geschrieben εἴη τ' ἂν | ἀλλὰ ταῦτα μὲν εἰπεῖν προήχθην κτέ. mit Auslassung von καὶ ὁ θεὸς — ποιεῖν zwischen ἂν und ἀλλά. Diese Auslassung zog dann die weitere Verderbniss von ἀλλὰ zu ἄλληλα nach sich. Der übersprungene Satzschluss καὶ ὁ θεὸς — ποιεῖν aber ward am Rande nachgetragen und ihm die Anfangsworte des nächsten Satzes ἀλλὰ ταῦτα als Reclame angehängt. Wird er eingeordnet, so ergiebt sich folgendes:

> πρὸς δὲ τούτοις εἰ κιρνάμενα ἀλλήλοις σώματα ἀντιπάσχειν ὑπ' ἀλλήλων ἀνάγκη (διὰ τοῦτο γὰρ οὐδέτερον / αὐτῶν φθείρεται, ὅτι ἑκάτερον αὐτῶν πάσχον ὑφ' ἑκατέρου ἐν τῷ πάσχειν ἀντιποιεῖ), τὰ δὲ δι' ἀλλήλων χωροῦντα σώματα κιρνᾶται ἀλλήλοις, εἴη τ' ἂν[1] | καὶ ὁ θεὸς κιρνάμενος τῇ ὕλῃ, εἰ δὲ τοῦτο, καὶ ἀντιπάσχων ὑπ' αὐτῆς· οἷς ἕπεται τό τε τὸν θεὸν πάσχειν καὶ τὸ τὴν ὕλην
>
> ἀλλὰ ταῦτα|
>
> ποιεῖν. |ἀλλ[ηλ]ὰ ταῦτα μὲν εἰπεῖν προήχθην διὰ τοὺς ἀντιλέγοντας μὲν 'Αριστοτέλει κτέ.

Wie ist aber der Nachtrag an die so weit abgelegene Stelle gerathen, an der er jetzt steht? Der Schaden ist, wie sich gezeigt hat, jedenfalls recht alt. Nun lehren aber die griechischen Handschriften des Alterthums und frühen Mittelalters[2], wie die Herculanischen Rollen, die Papyri des Bakchylides, Herondas, Homer, Hypereides, der Ascensio Jesaiae, die Bibelcodices uva., dass man damals als Unterkunft für Nachträge, Varianten

---

[1] Vgl. Bd. LVI S. 72 dieser Zeitschrift.

[1] Dem τε entspricht (εἰ δὲ τοῦτο) καί. Der sich zunächst darbietende Gedanke, nach εἴη τ' ἂν etwa ⟨ἡ ὕλη κιρναμένη τῷ θεῷ⟩ oder dergleichen zu ergänzen, hält reiflicher Prüfung nicht Stich. Mit εἴη ἂν beginnt Alex. mit Vorliebe den Nachsatz, zB. S. 221, 35. 222, 15. 18. 24. 226, 23 und τε gebraucht er oft in sehr freier Weise.

[2] Dasselbe gilt, wie es scheint, von den ältesten lateinischen Handschriften. Die Orientirung der Randzusätze wird hier abgesehen von den Verweisungszeichen noch dadurch bewirkt, dass man der defekten Textstelle wie ihrem Supplement die litterae singulares $\overline{hs}$ (dh. hoc supplementum oä.) beifügt, so im Plinius-Palimpsest von St. Paul (Dziatzko Unters. über d. antike Buchwesen S. 110, vgl. Mommsen - Studemund Analecta Liv. S. 22), und in Dichter-Handschriften auch in der Weise, dass dem der Auslassung vorangehenden Verse ein *A*, den nachgetragenen *B* und die folgenden Buchstaben in der Reihenfolge des Alphabets vorgesetzt werden zB. im Mediceus 39, 1 (s. Max Hoffmann S. XVII) und Vaticanus 3225 des Vergil (s. das Facsimile), vielleicht auch im Ambrosianus des Plautus (383^r s. Studemunds Apographum).

und ähnliche Notizen vorzugsweise den Raum über und unter den Spalten oder Seiten zu benutzen pflegte[3]. Es dürfte sich daher / auch im vorliegenden Falle empfehlen, mit diesem feststehenden Gebrauch zu rechnen und nicht abstracten Möglichkeiten nachzujagen. Die ausgelassenen Worte waren also ursprünglich am Fuss der Seite nachgetragen, zu der sie gehörten und wurden später an eben dieser Stelle in den Text eingereiht.

Zu dem hier erschlossenen Vorgang liefert die genaueste Analogie ein Abschnitt des mehrfach erwähnten Leydener Zauberpapyrus W und zwar der in doppelter, grossentheils gleichlautender Fassung darin enthaltenen Kosmopoiie, die A. Dieterich zum Ausgangspunkt seiner Abraxas-Untersuchungen genommen hat. In der zweiten Fassung heisst es S. 12, 1 ff. (= PGM XIII 495 ff.) ἐγέλασε τὸ πέμπτον (n. ὁ θεός) καὶ γελῶν ἐστύγνασε καὶ ἐφάνη Μοῖρα κατέχουσα ζυγόν, μηνύουσα ἐν ἑαυτῇ τὸ δίκαιον εἶναι. An der entsprechenden Stelle der ersten (S. 5, 7 ff.; vgl. App. cr. zu PGM XIII 179) ist aber zwischen δίκαιον und εἶναι folgendes eingeschoben:

> λέγει τὴν βᾶριν, ἐφ' ᾗ ἀναβαίνει ἀνατέλ[ο]λων τῷ κόσμῳ. ἔστι δὲ
> ἔφη δ' αὐτοῖς ὁ θεὸς ἐξ ἀμφοτέρων εἶναι τὸ δίκαιον· πάντα δὲ ὑπὸ σὲ
> ἔσται τὰ ἐν κόσμῳ. καὶ πρώτη
> ἐκλήθη δὲ ὀνόματι ἁγίῳ ἀναγραμματιζομένῳ φοβερῷ καὶ φρικτῷ θοριοβριαταμμαωραγγαδωωδαγγαρωαμματαιρβοιροθ. ἐκάκχασε τὸ ἕκτον
> οὕτως εἶχε τὸ ἀντίγραφον.

Wie man sieht, besteht die Einlage, abgesehen von den Schlussworten, aus drei Stücken, die weder zu einander noch zu dem Satze, in den sie eingeschoben sind, die geringste Beziehung haben. Ihr Auftreten an dieser Stelle ist daher, wie Dieterich (S. 9) gesehen hat, nur dann begreiflich, wenn man sie als Randbemerkungen der Vorlage fasst, die der Copist von W verständnisslos dem Texte einverleibte. Darauf weist auch das ihnen am Schluss angefügte οὕτως εἶχε τὸ ἀντίγραφον, mit dem der Schreiber seine Rathlosigkeit eingesteht und sich zugleich dem Leser gegenüber aller Verantwortung entledigt. Und weiter, / jedes dieser drei ehemaligen Marginalien besteht aus einem in sich geschlossenen Satze, auf den jedesmal zwei bezw. drei abgerissene Worte folgen: sie tragen also durchaus das Gepräge der mit nachgestelltem Stichwort orientirten Randzusätze und Varianten.

Was zunächst das erste von ihnen betrifft, so findet es sich in dieser ersten Fassung der Kosmopoiie nirgends, es war daher in der Vorlage zweifellos als Supplement

[3] Diese Thatsache hat bereits Schubart in seinen Bruchstücken zu einer Methodologie der diplomatischen Kritik (1855) S. 84 richtig erschlossen, erklärt und verwendet: 'Auch durch Verschulden der Abschreiber konnten grössere Stücke des Textes ausfallen; bemerkte man dies nicht, so entstand eine Lücke; wurde es noch bei Zeiten entdeckt, so trug man das Ausgelassene am Rande nach, und zwar in der Regel am oberen oder unteren Rande, weil es an dem schmäleren Seitenrande meist an Raum gebrach, um einen längeren Abschnitt einzutragen. Hierdurch wurde derselbe in den meisten Fällen weit von seinem ursprünglichen Platze abgerückt, und gerieth in Ermangelung von Verweisungszeichen oder bei Vernachlässigung derselben von Seiten des Abschreibers in rathlose Irre, so dass man den Ausfall entweder da einfügte, wo sich ein passender Platz ohne Suchen darzubieten schien, oder wo er etwa zunächst stand.' Vgl. auch Blass im Handb. I² S. 262.

gemeint, das vor einem ἔστιν δὲ in den Text aufgenommen werden sollte. Nun kommt aber ἔστιν δὲ in dieser Partie des Papyrus wiederholt vor, es empfiehlt sich daher, um den richtigen Platz zu ermitteln, von der zweiten Fassung auszugehen. Hier stehen jene Worte λέγει — κόσμῳ S. 11, 21-22 (= PGM XIII 462-63) hinter τὸ δὲ φυσικόν σου ὄνομα αἰγυπτιστὶ 'Αλδαβαείμ und vor ὁ δὲ ἐπὶ τῆς βάρεως φανείς. Dem entspricht in der ersten Fassung S. 4, 26-28 (= PGM XIII 152-54) τὸ δὲ φυσικόν σου ὄνομα αἰγυπτιστὶ 'Αλδαβαείμ (γράμματα θ̄), κατ ἔστιν δὲ ὁ ἐπὶ τῆς βάρεως φανεὶς κτὲ. Man hat hier κατ und ἔστιν zu κάτεστιν zusammengefasst und so ein weder sonst beglaubigtes noch an sich glaubliches Verbum geschaffen. Wie man sich aber auch mit diesem κατ mag abzufinden haben, soviel ist unbestreitbar: genau an der Stelle, auf welche die zweite Fassung hinführt, findet sich in der That ein ἔστιν δέ, das Stichwort jenes Nachtrages. Was bedeutet nun das rätselhafte κατ ? Es kommt noch einmal im Papyrus vor, nämlich S. 4, 2 (vgl. App. cr. zu PGM XIII 165), und zwar wie aus dem beigegebenen Facsimile auf Tafel II ersichtlich ist, mit höher gestelltem Endbuchstaben geschrieben (καΤ), somit als Abbreviatur gekennzeichnet. Die Satzgruppe, in der es da erscheint — πρῶτον ἐφάνη φῶς, αὐγή, δι' ἧς ἔστησε τὰ πάντα ἐγένετο δὲ θεός. κατ. οὗτοι γάρ εἰσι. οὕτως εἶχε τὸ ἀντίγραφον[1] — steht ausser jeder Verbindung mit dem vorhergehenden, wie dem nachfolgenden, sie ist auch äusserlich vom übrigen Text scharf abgetrennt. Dieser Umstand im Verein mit dem bezeichnenden Zusatz οὕτως εἶχε τὸ ἀντίγραφον beweist aber, dass der Passus bereits in der Vorlage am Rande stand, und zwar da die Stelle, auf die er sich bezieht (S. 4, 39 = PGM XIII 165), erst später folgt, ebenso wie in W am oberen Rande. Also κατ ist Abbreviatur, es findet sich einmal an einer Stelle, zu der ehemals eine Randbemerkung gehörte (S. 4, 27 = PGM XIII 153), das anderemal in einer solchen Randbemerkung selbst (S. 4, 2), in beiden Fällen / ist es ein überflüssiges und störendes Element, das aus dem Zusammenhange vollständig herausfällt. Was liegt also näher als den Schluss zu ziehen, dass es auf die Randbemerkung als solche Bezug hat, dh. irgendwie zur Verweisung dient, mithin, da im einen Falle das zugehörige Marginale weiter unten folgt, im anderen das Marginale zu einer weiter unten folgenden Stelle gehört, dass es κάτω zu lesen ist? In der That sind derartige Vor- und Rückverweisungen auf und von Randbemerkungen mittelst κάτω und ἄνω im Sinne von 'siehe unten' bezw. 'oben' in den antiken Manuscripten nichts weniger als selten. So steht im Oxyrhynchos-Papyrus des V. Buches der Ilias (II S. 102) neben V. 125 rechts κάτω, links ein Verweisungszeichen, am Fuss der Columne ist dann der ausgelassene Vers 126 nachgetragen und ihm ein entsprechendes Zeichen vor-, ein ἄνω nachgesetzt. In ähnlicher Weise ist verfahren in den Herculanischen Rollen der Rhetorik Philodems I S. 9 Sudh. (= V^2 33), II S. 133 (= VI^2 189), S. 185 (= XI^2 114), S. 245, 264, des Index Academicorum Col. 20 (Mekler S. 72 f., vgl. S. 21, 37, XIII), ferner in den Oxyrhynchos-Papyri I S. 26 Col. II, im Codex Sinaiticus IV 82, 92 us. Ebenso findet sich aber auch häufig umgekehrt neben oder über eine lückenhafte Stelle ein ἄνω gesetzt, das auf die am Kopf der Seite eingetragene und demgemäss mit dem

[1] Diese Zeilen sind von Dieterich unberücksichtigt gelassen.

Vermerk κάτω versehene Ergänzung verweist. Im Hypereides-Papyrus A zB. hat der Copist zu Anfang der Euxenippea eine Zeile ausgelassen und den Defect dann dadurch ausgeglichen, dass er die übersprungenen Worte ἀλλ' ἦν σπάνιον ἰδεῖν über der Columne (19) nachholte, ihnen ein κάτω anhängte und da, wo sie im Texte fehlen (hinter Z. 2), ἄνω hinzufügte. Weitere Belege liefern Volum. Hercul. X[2] 176, der Herondas-Papyrus Col. 34, Oxyrh. P. I S. 42, II S. 44, S. 100 f., Amherst P. II S. 24. In einigen der angeführten Beispiele ist, wie es scheint, auch nur eins der beiden Verweisungswörter gesetzt, in mehreren Fällen sind sie ferner abgekürzt geschrieben, einmal, in der Hypereides-Handschrift, κάτω fast genau so wie im Leidensis W. Es ergiebt sich also nunmehr folgendes Resultat: In der Vorlage des Leydener Zauberpapyrus stand am Rande zwischen 'Αλδαβαείμ, γράμματα θ̅ und ἔστιν δὲ ὁ oder im Text über dieser Stelle (S. 4, 27 W = PGM XIII 153) das Verweisungswort κάτω, dies κάτω bezog sich auf die am Fuss der Seite nachgetragene Ergänzung λέγει τὴν βᾶριν, ἐφ' ᾗ ἀναβαίνει ἀνατέλλων τῷ κόσμῳ, der ἔστιν δὲ als Stichwort angeschlossen war. Die Einordnung des / Supplements ist mithin durch zwiefache Orientirungsmittel festgelegt und gegen alle Zweifel gesichert.

Eine etwas andere Bewandtniss hat es mit den beiden übrigen in W zwischen δίκαιον und εἶναι (S. 5, 8 ff.; vgl. App. cr. zu PGM XIII 179) eingesprengten Randbemerkungen der Vorlage. Ihr Inhalt findet sich in ganz ähnlicher Form einige Zeilen weiter im Text von W vor. Dem einen (S. 5, 8 ff.) entspricht Z. 14 ff. (= PGM XIII 180 ff.):

ἔφη δ' αὐτοῖς ὁ θεὸς ἐξ ἀμφοτέρων εἶναι τὸ δίκαιον, πάντα δὲ ὑπὸ σὲ ἔσται τὰ ἐν κόσμῳ. καὶ πρώτη	τῶν δὲ μαχομένων ὁ θεὸς ἔφη· 'Εξ ἀμφοτέρων τὸ δίκαιον φανήσεται, πάντα δὲ ὑπὸ σὲ ἔσται τὰ ἐν κόσμῳ. καὶ πρώτη ...

das andere (S. 5, 10 ff.; vgl. App. cr. zu PGM XIII 179) kehrt Z. 17 ff. (= PGM XIII 183 ff.) wieder:

ἐκλήθη δὲ ὀνόματι ἁγίῳ ἀναγραμματιζομένῳ φοβερῷ καὶ φρικτῷ θοριο — οιροθ. ἐκάκχασε τὸ ἕκτον	ἧς τὸ ὄνομα ἀναγραμματιζόμενον μέγα ἐστὶν καὶ ἅγιον καὶ ἔνδοξον. ἔστι δὲ τοῦτο· θοριο — οιροθ γραμμάτων μ̅θ̅. ἐκάκχασε τὸ ἕκτον ...

Beide bilden also im vorliegenden Exemplar nicht Ergänzungen, sondern stellen Varianten dar. Es fragt sich allerdings, ob sie diese Bestimmung von vornherein hatten. Denn es ist an sich sehr wohl denkbar, dass wie der erste, so diese beiden anderen Theile der Einlage von S. 5 im Antigraphon ursprünglich zur Ausfüllung von Lücken bestimmt waren, dann aber diesem Zweck entfremdet wurden, weil nachträglich, sei es der Copist, ein Corrector oder Leser nach einem anderen Exemplar die Ergänzung im Text selbst vornahm. Es fehlt dafür nicht an Analogien. So ist im Herondas-Papyrus das ausgelassene Anfangswort des Verses VII 99 (σεωυτοῦ) nicht nur über der Columne ergänzt, sondern auch dem Verse selbst nachträglich vorgesetzt, und im Demosthenes-Fragment Amherst Papyri II S. 24 sind die Z. 5 übersprungenen Silben — γεθος δυναμε — sowohl am Kopf der Seite wie über der lückenhaften Zeile nachgetragen. Indessen einfacher und natürlicher erscheint doch die Annahme, dass diese beiden ehemaligen Randbemerkungen von Haus aus als Varianten gedacht waren[1]. Zu Gunsten dieser Auffassung fällt insbeson/dere der Umstand ins Gewicht, dass auch in der zweiten Version der Kosmopoiie wenigstens die Bemerkung über den anagrammatischen Namen θοριο — οιροθ in doppelter Fassung gegeben ist (S. 12, 8 ff. = S. 10^b 13 ff. D.), einmal genau in der Gestalt, wie sie in der Einlage S. 5, 10 ff. steht, sodann wörtlich in der Form, die sie im fortlaufenden Texte S. 5, 17 ff. hat[1].

Ist hier die Entscheidung immerhin nicht allen Zweifeln entrückt, so lässt sich eine andere Frage, deren Lösung noch aussteht, mit um so grösserer Sicherheit beantworten. Von diesen drei vom Schreiber des Leydener Zauberbuchs verkannten Randbemerkungen (S. 5, 8 ff.) beziehen sich die zweite und dritte auf nachfolgende Stellen (S. 5, 14 ff. und 17 ff.), sie standen daher in der Vorlage jedenfalls über der Seite, zu der sie gehörten. Die erste dagegen hatte im Antigraphon ihren Platz, wie sich (S. 493) ergab, am Fuss der Seite, zu der sie einen Nachtrag lieferte, und zwar ging diese Seite derjenigen unmittelbar voraus, an deren Kopfe die beiden anderen standen. Indem sie nun der Schreiber des Leydensis alle drei, ohne sich um ihre Bestimmung / zu kümmern, an eben dem Orte, wo er sie vorfand, dem Texte einverleibte, mussten sie naturgemäss in der Weise, wie sie sich jetzt im Papyrus vorfinden, genau hinter einander zu stehen kommen und in eine gänzlich fremdartige Umgebung hinein gerathen[1]. /

---

[1] Es liegt dann derselbe Fall vor wie in der oben S. 482 angeführten Stelle aus Polystratos' Schrift π. ἀλόγου καταφρονήσεως und zB. im Rainer-Papyrus von Xenophons Kyrupaedie V 2, 24 (Mitth. aus der Sammlung der Pap. Erzherzog Rainer VI S. 88): neben den Textworten μέλον αὐτοῖς ἰσχυρῶς ὅπῃ τὸ μέλλον ἀποβήσοιτο steht ein Verweisungszeichen, dies wiederholt sich unter der Columne bei einer Fussnote, welche die varia lectio giebt μέλον ἰσχυρῶς αὐτοῖς ὅπῃ τὰ νῦν παρόντα ἀποβήσοιτο.

[1] Ebenso ist die Notiz am Kopf der S. 4 πρῶτον ἐφάνη φῶς, αὐγή, δι' ἧς ἔστησε τὰ πάντα. ἐγένετο δὲ θεός zu beurtheilen. Sie bezieht sich auf Z. 39 f. (= PGM XIII 165 f.; vgl. App. cr.) καγχάσαντος πρῶτον αὐτοῦ ἐφάνη φῶς, αὐγή, καὶ διηύγασεν τὰ πάντα· ἐγένετο δὲ θεὸς κτἑ. Wie früher (S. 492) gezeigt, stand sie bereits in der Vorlage am oberen Rande der entsprechenden Seite. Zur Orientirung waren ihr ausser dem auf die zugehörige Textstelle verweisenden κάτω noch die Z. 38 in W (= PGM XIII 164) wiederkehrenden Worte οὗτοι γάρ εἰσι angeschlossen, dh. 'siehe unten die mit οὗτοι γάρ εἰσι beginnende Zeile'. Und hier ist auch noch das dem κάτω des Marginale correspondirende ἄνω bei der zugehörigen Textstelle vorhanden: es ist nach Dieterichs Angabe (zu S. 7^a 8) am linken Rande der Z. 38 ein AN beigeschrieben, das nur als ἄν(ω) gedeutet werden kann. — Während nun diese Bemerkung im Antigraphon am Kopf derjenigen Seite stand, der die 4. des Leydensis W entspricht, so befand sich, wie früher (S. 493) ermittelt, die erste der drei Einlagen S. 5, 7 ff. in der Vorlage am Fuss derselben Seite. Diese begann demnach aller Wahrscheinlichkeit nach ebenda, wo in W die S. 4 anfängt, und schloss sicher mit τὸ δίκαιον S. 5, 7 W, war also noch etwas umfänglicher als die correspondirende ihrer Copie. Aus dieser Seitenlänge dürfte dann weiterhin folgen, dass bereits die Vorlage nicht Rollen- sondern Codexform hatte.

[1] Diesen Bemerkungen zu Leydener Zauberbuch mag es gestattet sein ein paar kritische Kleinigkeiten anzuschliessen. S. 1, 12 f. (= PGM XIII 12 f.) ist gelesen εἰσελθόντος γὰρ τοῦ θεοῦ περισσότερον (n. οἱ λύχνοι) ἐξαωθήσονται. Man hat daraus ἐξωσθήσονται, ἔξω ὠσθήσονται oder ἐξαπωθήσονται gemacht, ohne jede Wahrscheinlichkeit. Gemeint ist doch 'wann der Gott erscheint, werden die Lampen

Die Betrachtung aller angeführten Stellen dürfte somit für die Ueberlieferungsgeschichte und Textkritik insbesondere folgende Ergebnisse herausgestellt haben:

In sorgfältigen griechischen Manuscripten des Alterthums und früheren Mittelalters werden nachträgliche Zusätze zum Text, Varianten und ähnliche Notizen im Allgemeinen nicht im Schriftraum, sondern am Rande und zwar in älterer Zeit vorwiegend am Kopf oder Fuss der Seiten eingetragen.

Die Orientirung dieser Marginalien geschieht dadurch, dass man ihnen wie den zugehörigen Textstellen einander entsprechende Zeichen oder die Verweisungswörter κάτω und ἄνω beisetzt oder aber den Randzusätzen Stichworte hinzufügt. Häufig kommen auch je zwei dieser Orientirungsmittel gleichzeitig zur Verwendung.

Als Reclamen benutzt man vorzugsweise das oder diejenigen Textworte, vor denen der Leser die Nachtragung vorzunehmen hat, sie werden also den Marginalien am Schluss angehängt.

Trotz ihrer Einfachheit und Zweckmässigkeit werden diese Gepflogenheiten, die sich zum Theil bis ins späte Mittelalter und weiterhin fortgepflanzt haben, oft verkannt oder vernachlässigt, wodurch zahlreiche und nicht selten schwere Textschäden verursacht sind.

Königsberg i. Pr. A. Brinkmann

---

stärker brennen', also ἐξαφθήσονται. Wer es für nöthig hält, vergleiche zB. λύχνον ἐξημμένον im Pariser Zauberpapyrus Z. 67 (PGM IV 67). S.1, 35 f. (= PGM XIII 35 f.) l. τὸν λόγον τῶν ὡρογεν(ῶν) τὸν ἐν τῇ Κλειδί. S. 4, 17 (= PGM XIII 143) u. 11, 7 f. (= PGM XIII 448 f.) l. διὰ σὲν (= σε) ἐδοξάσθην. S. 7, 26 f. (= PGM XIII 289 f.) l. βοήθησον ἐν ἀνάγκαις, ἐλέησον (für ἐλεήμων) ἐν ὥραις βιαίοις. S. 15, 43 (= PGM XIII 689) l. ἐπικαλοῦμαί σε τὸν πάντων μείζονα. S. 18, 1 (= PGM XIII 795) l. σὺ γὰρ εἶ ἐγὼ καὶ ἐγὼ σύ· ὃ ἐ⟨ὰ⟩ν εἴπω δεῖ γενέσθαι. Ebenso ist 9, 28 (= PGM XIII 371) οὗ ἐν βούληται für ἐάν = ἄν geschrieben. Eine Form wie ἐνείπω hat in dieser Sphäre keinen Platz. Weiter heisst es dann (S. 18, 2 ff. = PGM XIII 796 ff.) τὸ γὰρ ὄνομά σου ἔχω φυλακτήριον ἐν καρδίᾳ τῇ ἐμῇ καὶ οὐ κατισχύσει με ἅπασα σδραξ κινουμένη, οὐκ ἀντιτάξεταί μοι πᾶν πνεῦμα, οὐ δαιμόνιον κτέ. Das von D. für das unverständliche σδραχ eingesetzte Στύξ verstösst gleich sehr gegen alle diplomatische Probabilität, wie es den durch den Zusammenhang geforderten und durch κινουμένη gewährleisteten Sinn verfehlt: Wer den zauberkräftigen Gottesnamen im Herzen trägt, gegen den vermögen weder lebendige Wesen von Fleisch und Blut noch Geister und Gespenster etwas auszurichten. CΔPAΞ is also ΣAPAΞ dh. σάρξ, mit der gerade in diesem Papyrus so ungemein häufigen Vocalentfaltung. Der Beispielsammlung D.s Fleckeisens Jahrb. Supplementbd. XVI S. 822 sind hinzuzufügen 7, 34 u. 35 (= PGM XIII 297 u. 298) σεβέσαι u. σεβέσθητι, 7, 37 (= PGM XIII 300) φηλόξ (= φλόξ), 10, 11 (= PGM XIII 402) ἄστερου, 17, 35 (= PGM XIII 782) πολλοῦτος (= πλοῦτος). Dagegen ist aus seiner Liste ἀνατέλολων S. 5, 7-8 (vgl. App. cr. zu PGM XIII 153) also Schreibfehler zu streichen, zwischen gleichen Consonanten kann naturgemäss Anaptyxe nicht eintreten. Zum Ausdruck vgl. zB. LXX Numeri 16, 22. 27, 11 (κύριος ὁ) θεὸς τῶν πνευμάτων καὶ πάσης σαρκός und die Bemerkung Deissmanns zu den Rachegebeten von Rheneia Philol. LXI S. 256. — Auf die zahlreichen Stellen, an denen man mit Unrecht die Ueberlieferung angetastet hat (wie S. 10, 12 = PGM XIII 403 κατὰ δυεῖν [für δύο] τρόπους, geschützt durch das folgende καθότι — καὶ ὅτι usw. vgl. diese Zeitschrift LVI S. 67, 2, S. 14, 44 = PGM XIII 641 αἰσθήσεσι, S. 16, 15 = PGM XIII 711 ἀποθανεῖσαι für ἀποθανεῖ uam.), soll hier nicht näher eingegangen werden.